ＨＡＰＡＸ 12　香港、ファシズム

新たな「ファシズム」の到来は新たな蜂起の到来と並行する。香港蜂起（そしてジレ・ジョーヌをはじめとする各地の蜂起）は、いままでの闘争とはあきらかに違う政治を伝えるものである。〈特集１〉での香港をめぐる一連のレポートは、〈特集２〉の「ファシズム」をめぐる諸考察と表裏をなしているはずだ。（ＨＡＰＡＸ）

目次

＊

〈寄稿〉

六福珠
LUKFOOK JEWELL
ENS

〈特集1　香港〉

香港から放たれた矢／香港蜂起の教え

The Arrow Shot from Hong Kong / The teachings of Hong Kong insurrection

KID

> せめてなにか別のものがほしい。たいそうなものではないのです。自分がこんにち、事実上既成のものが転覆した状況のなかで暮らしながらも〈必然的〉だと経験するものが。それから〈文化〉が生じるのか、没落の加速が生じるのかに目をくれることなく、それがほしいのです。

香港の蜂起は、すでに4ヶ月におよんでいる。この闘争は、たしかに新たな政治を創出しつつあるものの、その行くすえを語ることなど誰にもできない。しかし、たとえその先にあるのが悲劇であろうと喜劇であろうと、この闘争がつくりだしたものが失われることはないだろう。香港が体現しているのは「革命」であり、その栄光は革命それ自身のうちにのみ宿るからである。

２０１４年の雨傘運動など、いまの蜂起にとっては反面教師にすぎない。それは、あまりに良識的な大学教師や弁護士らによって煽動された大学生を中心とした、保証されたセレブたちの「運動」であった。そして、その運動は合法主義に徹した末、諸グループのヘゲモニー争いと政党政治のなかで息絶えた。当時のリーダーたちは、いまや香港の状況をツイッターで報告することしかできない。その総括にたって、いまの香港では五大要求以外の言説は自制されている。主義や主張によって運動が分断することをさけるためだ。また、いまの蜂起が向かうのは、地下鉄の駅をはじめとするインフラである。わざわざ議会に突入することに、なんの意味があるのだろうか。彼／女たちは、権力のありかをかつてよりもはるかに深く理解している。

街頭に立つのは、ほとんどが13歳から16歳の若者（というより少年少女たち）である。彼／女たちが街頭にでることを親たちは禁じるが、かわってその行動をあらゆる面でささえる大人たちのサポート網がある。仕事をクビになった若者たちのための、高待遇の労働を提供するテレグラム（ラインなどよりも保安性の高いチャットアプリ）グループも存在している。先頭をになう若者たちは少人数でブロックを形成しているが、お互いの本名すら知らない。或る友人は、ただ近くに住んでいるという理由のみでブラックブロックのグループを形成したそうだ。彼らはテレグラムでやりとりしながら戦術を決定する。反グローバリズム運動のアフィニティグループによる組織論をこえる新たな戦術と組織がうまれているのだ。

香港の或る同志によれば、今回の蜂起は香港という都市の崩壊を表現している。再開発によって家賃は暴騰し、中国と欧米の間でその未来は閉ざされている。若者たちは、法律で居住が禁じられた工業地帯に寄りあってシェアハウスを営んでいる。その玄関は大型トラックが行き来する通用口である。まともな仕事などない。みな、将来が見えないと語る。若者たちは、繰りのべられてきたシステムの限界を端的に直観している。今回の蜂起は、都市という生物の脱皮運動でもあり、都市の主体性 subjectivity をつくりだす試みでもあるのだ。

あらゆる駅の周辺にはステッカーやフライヤー、グラフィティがあふれている。そして入場機やチケット販売所の多くが破壊されている。それればかりではない。破壊の痕跡はあらゆるところに存在する。この痕跡は日曜ごとに更新されるだろう。大杉栄のことばが思い出される――民衆の方がよほどうまく街を破壊する。

これらからいえるのは、香港という都市が全体となって蜂起を起動させ、維持させているということだ。どこからも帰属を拒まれたがゆえの不安が、蜂起の情動に反転された。ただし、その不安はゼノフォビアと背中合わせになっている。中国資本への攻撃が、資本そのものに向かうことはあるのだろうか。中国による統治への攻撃が、統治そのものに向かうことはあるのだろうか。彼／女らが想起しているのは、1967年の「左翼」暴動――中国という「左翼」に支援されたイギリスからの独立運動――の帰結である。結局、なんらかの統治がまた香港を覆うことになるのだろうか。

釜ヶ崎に住まう同志がセンター占拠時に語ったことばを香港でも聞きとることができた――出来事がつくりだすのは流れが集うことによる力能の増大である――。いまの香港の蜂起は、2011年に生じた港湾労働者によるストライキの反復である。繰りかえすが、雨傘運動の、ではない。雨傘運動から今回の蜂起へといたる時間は、私たちが手放すべき表象にすぎない。時はほんらい、流れることをしらない。2011年のストライキは、いくつかの流れの結節点をもたらし、その結節点がいまの蜂起においてもたしかになにかを交通させている。

法案は正式に撤回された。しかし、いまなお蜂起はとどまることをしらない。この蜂起は、どこへ向かうのだろうか。ファシズムが、コミュニズムよりも好まれない理由はどこにもない。とはいえ、これらは蜂起を低めるものではない。まぎれもなく香港の蜂起はそれ自体、来たるべき人民へのよびかけである。

（2019年11月3日）

香港蜂起の教え

「私たちは、不可能性こそがあらゆる行動の条件であるかのような世界、不可能性が可能性の新たな創造一切の条件であるような世界に生きている。これこそ、行動の逆説である。ただ不可能性のみが行動させるのだ」（ラプジャード）。ブログ(hapaxxx.blogspot.com)に掲載した重要なレポート（「香港2019――鏡の国の大衆運動あるいは漂移する遊行」、本特集にも収録）が描いた行動からひと月を経て、香港蜂起はより緊迫した事態を迎えている。ある段階でこの闘争は条件闘争であることを放棄したことはあきらかである。そのとき、この闘争からは勝利の可能性もまた捨て去られた。にもかかわらず（もしくは、だからこそ）少年少女たちがはあそこまで闘った。このことにこそ決定的な何かがある。不可能性において香港蜂起は新たな未来をつくり出した。ただしこの未来は、この日々の延長としての未来ではない。蜂起という生成のみが開く別の時間性である。だからこそ「世界は滅びてもいい」と参加した若者は語っていたのだ。このブログでは先にこの蜂起を都市の崩壊を前にした脱皮の運動と捉えた。さらにこう加えなければならない。この蜂起には世界の崩壊と脱皮が賭けられているのだと。いかなる悲劇的な結末もこの蜂起の栄光を消し去ることはできない。リーダーの不在が指揮系統の不在へ結果し、現場を混乱させると日本の新聞は書く。しかしリーダーや党の不在こそがこの闘争をここまで強靭にしたことにこそわれわれは学ばなくてはならない。しかしこの強さは鋼鉄の強さではない。「Be Water」という言葉が示す、流れさるものの強さなのだ。香港蜂起は水となってこの世界を逃走させたのである。

（2019年11月19日）

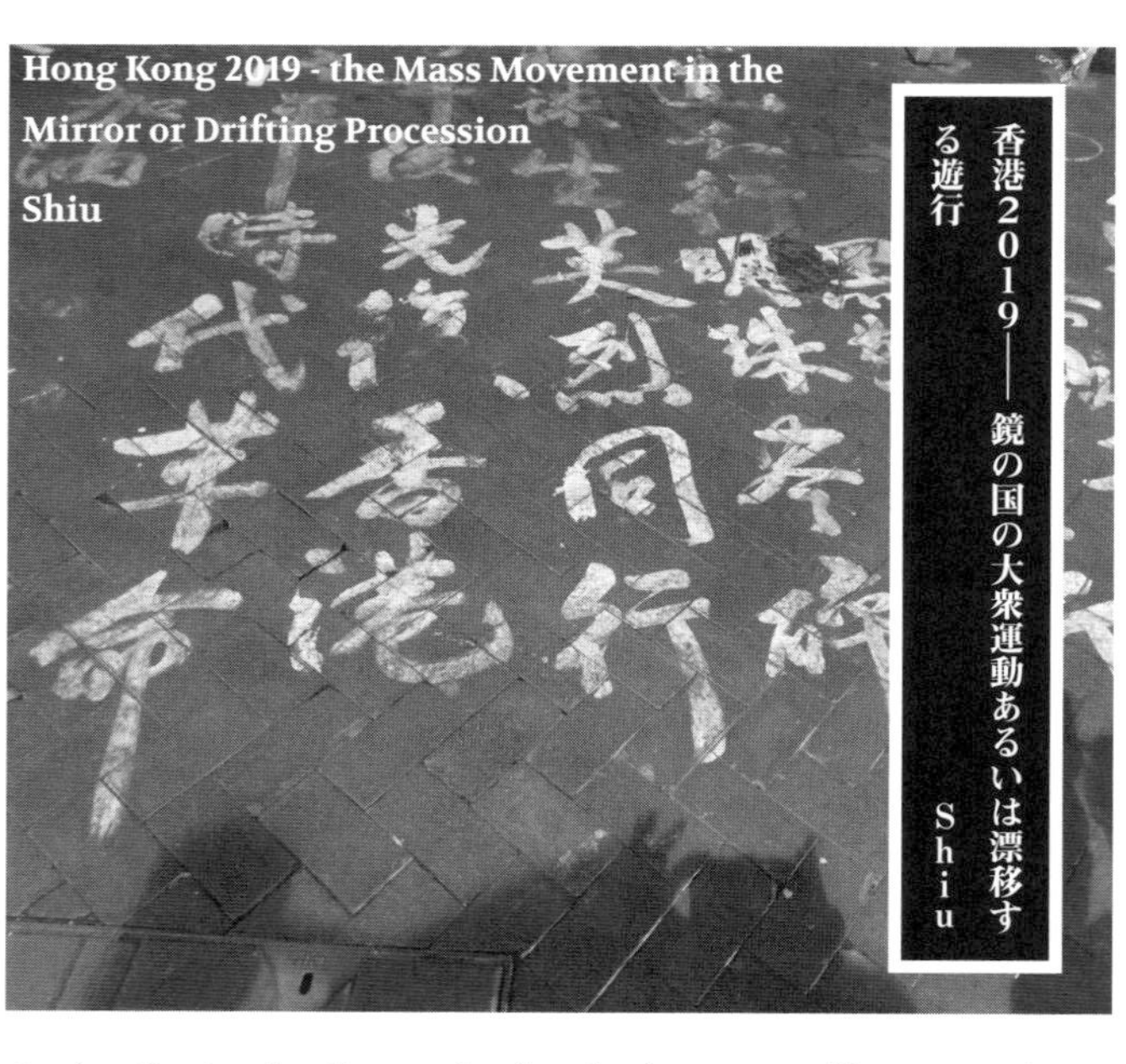

Hong Kong 2019 - the Mass Movement in the Mirror or Drifting Procession

Shiu

香港2019——鏡の国の大衆運動あるいは漂移する遊行

Shiu

去る2019年10月中旬、私たちは今年の春に知り合った香港の友人たちに会うために香港を訪れた。

錯乱する真相——ショッピングモール

デモの前日の夕べのこと。私たちは現地で生まれ育ったTさんの案内に耳を傾けながら、白い大理石とガラスの光り輝くショッピングモールの屋内広場を訪れた。そこはデモのいわば「真相」を伝える映像の公開上映会「真相放映会」が開かれる場所だった。

モールの位置する沙田 (Sha Tin) は70年代に郊外に開発された、この類のものとしては香港で最も古い高層団地からなる住宅街らしい。彼女の説明によれば、この地域には今回の逃亡犯条例反対を契機とした運動におおいに寄与してきた香港の中産層が多く住んでいる。デモが終わった夜には、テレグラムの連絡網によって繋がった40代の送迎部隊がこの住宅地から出発して、ギア (Gear) と呼ばれる黒装束、ガスマスク、保護ゴーグルなどを脱いだ、勇武派と呼ばれる10代、20代の少年少女――友人によれば、警察はわざとひょろりと痩せた外見の彼らをターゲットにする――をそれぞれの住処へと車に乗せて送っていくのだという。またTさんによれば、7月には、モールに隣接するウォーターフロントの公園にかかる橋が、警察との攻防戦の舞台となり、モールの中に押し入った警察によってデモ参加者と買い物客に多くの怪我人が出たのだという。

私たちはどんなところに行くのかもわからずTさんについてきたのだった。しかしこんな煌々と照らされた場所に連れてこられるとは思ってもいなかった。というのも、私たちはそれまでの数日間で、外壁にゴツゴツした配管を誇る雑居ビルの谷間で行われている都市運動の組織化の試みや、サブカル・カウンターカルチャーの巣窟のようなシェアハウスや、農村で暮らす試みなどを目にしてきたからだ。このモールの広場に来る途中で通りかかったプリンス・エドワード駅（太子駅）では、地べたに座った人々が、駅の構内で行方不明になり警察に惨殺されたと言われている3人を弔って、捧げられた献花の横で、死者が来世で使うお金を燃やしていた。私はてっきりそのような運動の現場かソーシャルセンターのような場所に来るのだと想像していたのだ。

研磨されたかのごとく清潔そうな大理石の敷かれた広場。その一角の大理石を配した柱と、そこに白く輝く「New Town Plaza」のネオン文字。その下には様々な宣伝や告知が貼られていて、その周りに人だかりができている。その柱の壁に様々なデザインのポスターと数々の黄色のポストイットが貼られ、当局と警察の横暴を指弾している。「レノン・ウォール」と呼ばれる、このような壁は2014年の雨傘運動の中で香港に現れたのだが、2019年のデモの状況の中では、人々の行き交う駅やバスターミナルの階段や通路などの壁に作られた交信装置であり、それは現地の別の友人の分析によれば、現在の運動の「共有脳」の一部なのだ。

ちなみにレノンという名は、かのジョン・レノンからとられている。彼の死に際し、1980年のプラハで彼の肖像画が落書きとして描かれて以来、反体制的な意味合いを持つようになったある壁に由来するものらしい。つまりここに現れ

ているのはプラハの壁なのだ。世界の物と記号が行き交う物流都市、結節点としての香港の「共有脳」の混淆性。それがいま、世界を受け止め、世界と交信を求めている。

壁の最上部を見るに、大きな赤い文字で「星期日民陣九龍遊行——（翌日の）日曜日に九龍で行進——」という告知がA４用紙一枚に一文字ずつ貼られている。「民陣」とは民間人権陣線という様々な市民団体の連合（コウアリション）である。「遊行」は、香港、台湾でLGBTのプライドパレードなどにも使われている言葉だ。その他のポスターなどでは、「示威」という言葉も使われていたが、この言葉は穏やかな市民的イメージをアピールしているのかもしれない（１０月５日に発動された緊急状況規則条例に従い民陣による遊行申請が警察に却下され、遊行参加者は全て不法であると見なされたと知ったのは帰国後である）。

このような掲示空間がモールの中で許容されているというのも興味深いことだが、近郊の別のモールでは警備員５人がデモ隊を追ってきた警察を制止したことで逮捕される事態があったということも耳にしていたし、現在の政局ではそれが

当然なのだろうと思っていた。しかし事態はより複雑である。実はNew Town Plazaは7月に、警察と協力してデモ隊を追ってきた警察の立ち入りを許し、そのため市民からの猛烈な抗議を受けるという事件があったという。抗議した人々の多くは、このモールの上階あるいは橋によって繋がった複合型マンションの居住者でもある。つまり、彼らにとって、この光り輝くモールは家または町内のようなものなのだ。この事件の後、New Town Plazaをはじめショッピングモールの経営陣は、ときに警察の立ち入りを制止したり、このような表現の場を許容することになった。つまりモールは「自由」と私的所有権が出会い、中国という圧政と闘う私的公共空間（?）になったのだ。ちなみに、警隊條例(Police Force Ordinance)なるものでは、容疑者が明らかに敷地や建物に逃げ込んだ場合に警察の立ち入りが認められることになっているのに対して、私有地に令状なしに立ち入ることは私的所有権の侵害であると民主派の法曹・政治関係者は主張している。そして、そのような二制度的状況によって、繰り返しこの白く磨かれたフロアに赤い血が流されてきたのだ。

さて、真相放映での人々はまるで大家族の法事に来たかのように床に座り、プロジェクターの映像を見ていた。放映されているのは、国営ＲＴＨＫの報道番組と時事風刺コメディ番組、そしてアメリカのナンセンス風刺アニメ「サウス・パーク」である。ちなみにＲＴＨＫは国営テレビなのになぜか中国政府寄りではなく、むしろ過度にデモ参加者の側に寄っているとして保守政治家などから批判されているという。

しかし「真相」を掲げた上映会で「サウス・パーク」を見るとは思いも寄らなかった。私の知る限り「サウス・パーク」は、アメリカ＝公園を世界の中心とするナンセンスな自己言及と風刺、逸脱が延々と続くアニメーション番組であるが、そこで放映された話のネタは次のようなものだ。

ミッキーマウスをはじめとするディズニーキャラクターの訪中団は、全体主義国家の典型を戯画化した制服キャラクターとして描かれる、超警察国家中国のいいなりになってガタガタ震えている。くまのプーさんと親友のピグレットも、中国国家主席の習近平と香港行政のトップ、キャリー・ラムに似ているというかどで収容所送りになる（２人が歩いている写真をこの愛くるしい２匹の姿に重ねた香港の風刺画像が元ネタである）。バスケットボールリーグＮＢＡのスターも同じビジネス外交の訪問団として登場している（ＮＢＡによる香港支持のツイートが中国からの批判によって削除、謝罪に至ったことへの風刺だが、ＮＢＡが香港を支持したところで、それをボイコットして中国国内リーグＣＢＡをみることはないだろうと言われるほどＮＢＡは中国で大人気のスペクタクルだという）。

「サウスパーク」の提示する「真相」は複雑怪奇なあらすじとは全く関係なく、シンプルである。中国を全体主義国家として戯画化しているだけでなく、中国市場の尻舐めに奔走する近年のアメリカ企業をこき下ろし、リベラルで進歩的な価値観の終焉すらブラックな笑いにしているのだ。それは「サウスパーク」自身ですら結局はニヒルでリベラルなニッチ・マーケティングをしているに過ぎないという自己言及にも及ぶ。それを如実に表しているのが、中国による検閲に対する彼らの次のような「公式謝罪」である――「中国の検閲がわれわれの家や心の中にまで入ってくることを、われわれはNBAと同じように歓迎する。われわれは自由や民主主義よりお金を愛しています」。つまり、「私たちは、わかってるんだよ」という優越感を含んだ共通感覚を作家と観客の間に生じさせることで「サウスパーク」の消費も成り立っている、ということも垣間見せているのだ。

しかし、ここにはフェイクニュースならぬ、「真相」に比する虚偽(フィクション)がある。この上映会の10日ほど前にディズニーの運営する「くまのプーさん」キャラクターサイトへのアクセスが、ディズニーによって香港からのものに限って一時遮断されている（そのエラーコードから、プロバイダーや国レベルでのブロックではなくディズニーの側の問題だったようだ）。遮断が恣意的だった証拠に、例えばカナダからはアクセス可能であったという。しかし遮断が騒ぎになり、香港からのアクセスも翌日復旧した。事実がパロディそのものである。

トランプと習近平が資本主義ポピュリズムのシマ争いをやっている間に、中国の台頭はアメリカ文化資本の内部抗争を引き起こしている。見えてきたのは――日本ではようやく気づき始めた、しかしまだインバウンドの観光客程度にしか思っていない――、中国経済の巨大な購買力である。

「真相」がなんだか分からなくなってきたが、これは闘争が激化している世界につきものの錯乱ではないだろうか。そして次の日、私はさらなる錯乱を目にすることになる。

2019年10月20日、午後1時半、九龍遊行

道可道、非常道。名可名、非常名。無名、天地之始……
（これが道ですと示せるような道は、恒常の道ではない。これが名ですと示せるような名は、恒常の名ではない。天地が生成され始めるときには、まだ名はなく……
――『老子』1章、蜂屋邦夫訳、岩波書店、2008年）

翌日午後1時すぎ、待ち合わせの場所から遊行の出発地点、尖沙咀 (Tsim Sha Tsui) へと向かった。路地から市場の横道を通って九龍を南北に走る大通り Nathan Road（彌敦道）

を海の方向へと進む。巨大な広告が掲げられた歩道を歩いていくと、だんだんと人の数が増えてきた。これがデモかと思っているうちに、いつの間にか人々が大通りの全車線に満ちてくる。前方の彼方から「Fight for Freedom, Stand with Hong Kong」「香港人、反抗（ホンコンイェンファンコン）」の合唱が聞こえ始める。その後、大通り沿いの九龍モスクの階段で、近くに住んでいるTさんの友人のお母さんと合流。一緒にいた方が安全だというわけである。ちなみに緊急条例のもとマスク禁止法というのが施行されているのだが、誰も守っていない。Tさんの友人のお母さんの顔もサングラスと青白い衛生マスクで覆われている。

群衆の流れはさながら歩行者天国か、縁日の人混みのようだ。しかし同時に、黙々と歩む群衆の足取りには、早くはないが何か落ち着きのなさがある。だんだんと視界が雨傘で遮られるようになる。しかし、まだ私たちの周りでは叫ぶものはいない。

やがて重慶大廈(Chung King Mansion)の前を通りかかる。ここは９０年代に世界中でカルト的な人気を博した王家衛監督の『恋する惑星』（原題『重慶森林』）の舞台でもあり、世界中のバックパッカーやアジア、アフリカの移住者の住処である巨大住商混合雑居ビルである。しかし、携帯電話のカメラを掲げた人だかりができていて中はよく見えない。垣間見るに、南アジア系の男性がビルの入り口の踊り場に立って演説をしている。拍手が巻き起こる。よく聞こえないが、掲げている紙切れに書かれた内容からデモを支持しているらしい。この数日前に、民間人権陣線のリーダー的な人士の一人が南アジア系と思われる暴漢グループに襲われ大けがを負ったという暴行事件のニュースが流れていた。被害者は、ゲイであることを公言しＬＧＢＴの運動でも活発に活動しているという岑子杰(Jimmy Sham)氏である。おそらくこの人混みは、広東系と南アジア系との人々の間の潜在的な緊張感を触発している暴行事件の脈絡（それはイギリス統治時代に、非中国人がこの地に治安維持などのために連れてこられたのちに定着したという社会的な構造とともにある）と関連しているに違いない。重慶大廈前の人垣からちらほら上がる歓声や拍手は、その緊張の弛緩を表明し、促そうという信号なのかもしれない。

重慶大廈と九龍モスクとはすぐ目と鼻の先である。前者が移住者の住む場所になり、後者がその信仰の場なのだ。デモの渦中にいながら、その夜になって知ることになるのだが、九龍モスクは私たちが通過して間もなく事件に巻き込まれることになる。

その事件とは、警察の放水車がモスクの前にいた数名の記者や見物人めがけて、青く着色された催涙液を浴びせたというものであった。当然、モスクも垣根や階段が青く染められるという被害にあった。これらは全て市民や記者によって撮影され共有される。しかも、放水車の照準操作が車内のビデオモニターの映像によるビデオゲーム的なものであること、ゆえに誤射ではないということも含めてネット上に晒されている。それに対して警察は言い訳ができない（ただ、ここまでの事実が暴かれるのはネットであって、テレビだけ見ている中高年にはこうしたニュースは届かない。この文章の冒頭にあったような上映会が開かれるのはそのためだ）。もちろん、いくら警察（ＡＣＡＢ）とはいえ、まさか意図的にモスクそのものを攻撃しようとしたわけではないだろう。いずれにせよこの出来事があきらかにしているのは、３０万人以上と言われる香港在住のイスラム教徒を含めた市民に対して、警察当局がさしたる敬意を持たず、結局自分たちが何をしてもどう思われても気にしないし、絶対に罰されることはないと思っているということである。

重慶大廈の周辺で起きている喧騒に気をとられることなく、遊行の列は歩みを推し進めていく。やがてすぐ前を歩いている人々が、黄色とオレンジの縞模様とその片側に青地に白い星が描かれた旗を取り出して両手に掲げ始めた。カタロニアの旗の群である。香港の人々はカタロニアの状況に非常な関心を持っていて、互いの運動を共鳴させたがっているようだ。香港の我々の友人たちはロジャヴァに注目し危機感を持っているのだが……。そんなことを思っていると、その向こうにはひときわ高く目につく星条旗が現われた。デモ隊は反対車線の方向に移りＵターンを始めた。告知された集合場所は海に面したソールズベリー公園であるが、そこは警察が立ち入りを禁止したため、私たちは自分たちの判断で適当な横道、その名も Middle Road（中間道）にそれる。

このような動きが今回の運動の特徴として「Be Water」と呼ばれる。それはブルース・リーのセリフだ。つまり、止められないよう、水の流れるが如くに動くということだ。現地の友人によれば、かつての雨傘運動のオキュパイが、一つの場所に集中することで封じ込められてしまったという総括から発展させた戦術であるという。力を分散させることで、当局の対応をより困難にするというのだ。そして、同じ友人によると、この流れるような動きはネットの生中継映像やチャットアプリなどを使ったリアルタイムの情報共有技術や、これまでの遊行の経験による感覚的なものであって、誰かの統制によるものではない。それは共有脳が現勢化したものである。

コン、コン、コン、カーン、カーン、カーン、キーン。コンコンコンコン。ドン、ドン、ドン、ドン、といった音が、群衆の発散するホワイトノイズ越しに聞こえてくる。

何なんだと反射的に振り返ってみると、たった今通り過ぎた中間道の角には地下鉄の出入り口があり、マスクをしている以外は普通の服装をした何人かが、代わる代わるガラスのファサードを割ろうとしている。ヒビは入るがなかなか割れない。そして、そこからやや離れた路肩沿いには傘を背にした人群れがある。こちらは黒装束がかなり混じっていて、男性だけでなく女性もいるようだ。

そこはホテルの玄関だった。ホテルの車が乗り入れる場所には石畳がある。雨傘に隠されて、石畳を剥がせば太古の砂浜があるかどうかは知るよしもないが、アジアの高級ホテルの玄関には、コロニアルな、つまりヨーロッパの都市に似せた石畳があり、投げるに叩くに手頃な石が手に入るというわけだ。

石畳が剥がされる音、ガラスを叩く音に立ち止まって、しばし眺める人はいる。しかし制服を着たホテルの従業員を含め、誰も制止しようという様子はない。

香港の地下鉄MTRはこの間、デモの参加者の搭乗や混乱を恐れ、あるいは中国政府やメディアの圧力によって、通常の運行をしないことを決定した。それによって「港鉄(gong tit)」が「党鉄(dong tit)」と言い換えられ（韻が同じ）、中国共産党の手先と嘲られ、破壊の対象になってしまった。私自身も今回の旅で、外見は問題なくとも機能不全になった切符の自動販売機や「党鉄」や、「Chinazi」などと落書きだらけになった駅の出入り口に何度か出くわした。

また街のそこかしこには、戯画化された豚の絵と、「我要攬炒」と記された落書きがある。「我要攬炒（みんなまとめて焼くんだ）」という言葉は、黙示録的な階級闘争世界を描いたアメリカのSF小説・映画『ハンガーゲーム』の中で、スポーツ化した闘争の視聴者に向かって主人公が叫ぶ言葉から来ているのだが、豚は香港の2ちゃんねるのようなサイトLihkgでみられる香港のブルジョア的な自画像のアイコンだという。

誰も破壊を止めようとしないのは、必ずしもそこに表現された意味や情動だけが理由ではないかもしれない。しかし、我々の友人たちのけっして肯定的な意味ではない指摘によれば、破壊はあくまでも中国政府や中国資本が対象になっていて、地元の銀行や宝石店などに手が出されることは絶対にないという。地元の銀行にグラフィティなどしようものならすぐに制止されるということだ。現地で出会った別の友人は、確かこんなことを言っていた。我々がモノと新しく関係を結ぶために破壊は必要なのだと。

ビルの谷間を抜けて幹線道路に出る。道路が立体交差している場所に差し掛かる。その先に見える車両専用の高架道路の上も下も人で埋まっている。

その手前に交通標識がアーチ状にかかっているのだが、そこに、女性と思われる数名を含む黒装束の一団が登り、星条旗を掲げながら、「中国客運碼道 China Ferry Terminal」の、「中国」と「China」の字に黒のスプレーペンキでバツ印をつけ、黒い布に格言が書かれた垂れ幕を掛けている。その下を遊行する群衆は拍手喝采している。こうしたことをどう理解したら良いのだろうか。香港の地政学を表現するには錯乱という言葉がふさわしい。

デモから帰ったあと、私は友人たちに質問した。学生運動の経験があり労働運動的な傾向を持っている彼らは次のように答えてくれた。

この運動は大衆運動であり、左翼か右翼かの運動では

ない。もちろん大衆は、資本主義に親和的であり、新自由主義的でさえあるかもしれない。たしかに中国人を憎むのはひどいが、同時に大衆は、高騰する地価による住宅難に苦しんでいる。大衆の懸念は、毎年中国からやってくる移民が、福祉や公共住宅へのアクセスで優遇を受け、そして彼らが中国政府を支持することで、政治的に無力化されてしまうことである。

私たちは自分たちの行動を評価する練習をしなくてはならない。現在の香港の人々は誰であれ自分たちの運動を支持してくれる人たちを歓迎する傾向がある。その意味で歴史的なアイデンティティにもとづく香港人ではなく、戦略的な香港人、つまり「香港人加油（頑張れ香港人）」という、人を受け入れる開放的なカテゴリーとしての香港人がある。それがこの運動における香港人だ。しかし同時に、香港人として認められず存在が無視されてきた、非白人系の南アジアなどに出自を持つ移民に対して、香港の運動を支持するか支持しないかによって評価するのはフェアではない。彼らは香港の運動をサポートするかどうかにかかわらず受け入れるべきだ。

ある別の友人は、彼の仲間の戦術・実践を語ることで疑問に答えてくれた。中国からの移民2世のその仲間は、地元で黒装束グループを組織化している。そして警察との戦いの中で互いに対する信頼関係を培っている。仲間同士の信頼なしには黒装束の活動はできないからだ。しかし、彼の属する、町内の黒装束グループは互いの本名も知らないという。闘争を共にすることで、少しずつ打ち解け、政治的にセンシティブな話もできるようになってきているというのだ。

この運動がリーダーもなく動くことを可能にしているのは、そこに論理なしに伝播し一体感を作りだす記号や物語、身振りのパターン（ミーム）があるからだ。やたらと星条旗が持ち出され中国にバツをつけたりするのは、右翼であるというよりも、そこに虚無がある証左である。星条旗はその虚無の中で、自分たちが闘っている中国という大怪物が認めるほとんど唯一の大怪物の旗印なのである。イギリスやその他コモンウェルス国家やG20の旗などは小怪物の記号であろう。この地政学的な錯乱を少しでも理解しようとするには、コンピューターゲームや漫画にハマる無我の境地のような無思想性に目くじらをたてるよりも、私たちの友人たちが、そこで起きる出来事に介入することで、別の欲望を作りだそうとしていることに注目すべきである。当然ながらそこに介入することにリスクはある。ここで述べたような香港についての観察や、前述の労働運動に関わっている友人たちの意見を、別の香港の友人に紹介したところ、次のような答えが帰ってきた。彼らはこの運動に甘い見通しを持っているわけでもない。

実際には、自己でないものとの関係においてアイデンティティを追求することが、その相手（＝中国）と寄生関係を作り出していることは無視できない。これは今の闘争の勢いが警察による暴力のスペクタクルから力を得ようとしていることと基本的に相似的だ。

運動とのつながりを持つために左翼はアイデンテティにしがみ付きがちだが、それが習近平体制の国づくりと平行したものになる危険性がある。例えば階級の問題をなぜ考えないのか。我々は容赦なく問い続けねばならない。

中国を人民解放軍や鉄槌による支配としてイメージすること、これは劣化した冷戦メンタリティに他ならない。そして、その裏返しとして、香港アイデンティティに基づいて、民族自決を求める伝統的な「革命」運動を地下に構築しようと、そのような軍事組織や規律を求める声が、すでに出てきている。しかし、それこそ中国共産党にとって、願ってもないことだ、と。

しかし、日本をはじめとする東アジア諸国から見れば、香港は根源的にナショナルなものが弱いのは確かである。そして香港は、ほとんどの東アジアの社会・運動で自明と思われている「左右」や、内と外の方向感覚が逆さまになったようにも感じられる、いわば鏡の国である。例えばTさんによれば、香港の人たちもサッカーのワールドカップなどを見て楽しんだりするのだが、彼らは香港のチームを応援することもなければ、こぞって中国を応援するということもない。皆それぞれ自分の好みのチームを選んで応援するのだという。もちろん、世界が流入して混在している一方で、普通の国になりたいというような（どこかで聞き覚えのある）、本土派と呼ばれる独立主義者たちも存在する。しかし、彼らは現在のような政局の中ですら大衆的支持をほとんど得られていない。何と言っても食料のみならず水の自給が香港では不可能であることが大きな理由ではあるが、そもそも太古からの不変の同一性や境界線があるという幻想自体が、香港の歴史や地理において説得力を持ち得るのだろうか。その意味で、本土という呼称そのものが不思議である。もちろん、あらゆる地は「ここ」であるという意味においては、本土であろう。そして「そこ」につながろうという我々には、「これが道です」という道はなく、「これが名です」という名もないのだ。

　誰かが高架道の上から広東語で何か繰り返し叫んでいる。何のことかわからないのでTさんに聞く。上着の裾をズボンに入れろ、なぜなら腰に拳銃を帯びた公安などが潜んでいるのではないか、ということらしい。その辺の町の中に密告している人が絶対にいるんだと、Tさんの友人のお母さんも言う。

　前方から消防車がデモ隊の流れに逆らってやって来た。行進していた人の流れは、しばし両側に道を開けて止まり、人々は消防車に拍手を送っている。これはなぜなのか。Tさんに聞くと、警察が憎しみの対象に転落し、怪我人や不明者などの調査で疑惑を呼んでいるのに比べ、消防隊は公僕として信頼されているとのことだ。香港の統治機関が市民に忠誠を尽くすか、中国政府に忠誠を尽くすかで、評価が二分されるかのようである。民衆は決して反政府でない。彼らはむしろ正統性を持った統治を欲している。ある意味、この政局の中で警察と消防という統治機構が民衆の想像力の中で対立させられているとでも言えようか。


　しかしともかく、私たちを含む遊行の群れの大半は水になって歩き続ける。「香港人、加油!!」「香港人、反抗!!」「Five Demands! Not One Less!」というわかりやすいコールが、わかりにくい広東語に混ざってひたすら延々と響く。時折、感極まったように皆の手が挙げられる。五本の指を示すように。

　広々とした交差点に出る。高速鉄道の駅（のちに香港西九龍駅であることがわかった）をのぞむ方向は、施設の工事が仕上がっていないのか建設現場の保護に使われるプラスチック製の簡易ガードレールなどが残っている。それらの資材を使って黒装束部隊はバリケードを築いている。そして、ここでも石畳を剥がす音が聞こえ、その行為を警察の監視から守る雨傘の群れが見える。これも道にばらまいて警察車両の通行を阻止するためのものらしい。信号もガンガンと破壊し、車の流れも簡易ガードレールを使って迂回させ、交通整理まで やっている。これはかなり計画的かつ組織的な作業である。現地の仲間からのちに教えられたネット記事によると、バリケード、物資補給、通信、退路の確保などのミクロなレベルでの戦術は、「ウォークラフト」などの大規模多人数同時参加型オンラインＲＰＧから着想を得て組織化されているという (https://matters.news/@zoezhao/ 時代遊戲 -zdpuAvDCA9LJirBxRY3xP75eZYZ7CPMTXu6U38mrGwQ1F2cHi?fbclid)。

デモ隊の作ったバリケードを勝手に超え（誰も怒ったりしない）、Jordan Road（佐敦道）沿いに、もと来た大通りNathan Road（彌敦道）に戻る。途中の公園をちらりと見ると、移民の女性たちだろうか、ピクニックをしているようだ。香港の多くの家庭では、こうした移民女性の家政婦が働いているという。暗くなって友人たちのスペースに戻ると、デモによって通行止めになったり運休になったりした交通機関の情報を、こうした中国語のできない移民向けにＳＮＳを通じてシェアする活動をしていた。

路地の食堂に入って遅い昼食を食べたあと、Nathan Roadに出ると武装警察と放水車が南から北に向かって走ってくるところだった。その前を黒装束たちが人々に注意を呼びかけながら退却してくる。我々は黒装束のギアを着けているわけでもないので、観光客のふりをして警察が通り過ぎるのを待つことにする。すでに催涙弾を浴びたのか、記者が咳き込みながら路傍に並べられた丸型カフェテーブル――Tさんによれば、スターバックスから持ってきた――の上に置かれたペットボトルの水を取りに来る。続いて車道をゆっくりと駆けてきた警察部隊は、中央分離帯を中心に、歩道に向かって仁王立ちで警戒態勢をとっている。そしてサイレンを鳴らしながら放水車両を先頭に警察車両が通り過ぎる。通りの店舗の壁を見ると一部は新たにグラフィティに彩られ、いくつかの店（銀行などの中国資本）は完全に破壊され、地下鉄の出入り口は燃やされている。昼前に私がぶらりと入った書店、中華書房のショーウィンドウも粉々にされていた。しかし、こうした状況で掠奪しようとするものも、それを容認するものもいない。商品に対価を払わず自分のものにすることへの罪意識は生産主義的社会福祉（街角のコンビニがその最たるものであるが）に飼いならされた東アジアには根深いものがある。

次の武装警察の部隊が放水車の後尾についてNathan Roadを北上してくる。透明な長い盾を持った部隊と催涙ガスのスプレーを腰につけた前衛に、様々な装備を持った部隊が続く。あるものは一方の手に棍棒、もう一方の腕に透明な小型の盾という古代ローマの闘技士のような装備を持ち、他のものは催涙弾またはゴム弾を発射する銃を持っている。そして一様に頭部のヘルメットから肘、脛、足元まで甲冑と装置に覆われたロボット戦士さながらの姿である。彼らについて歩道をいく記者たちに我々も従って一緒に歩くが追いつかない。道路をのしのしとかなりの速度で通り過ぎていく武装警察部隊にはかなりの威圧感がある。

ちなみに、香港の武装警察は今でもイギリス統治時代からの3人のイギリス人の指揮官によって率いられている。さらに付け加えれば、世界で最初に、催涙弾が民衆の鎮圧に使われたのは、文革の影響下で発生した1967年の香港の暴動においてである。ちなみに、六七暴動とよばれるこの事態では数千発（うち千発ほどが本物）の爆弾が仕掛けられた。そして香港での鎮圧戦術はのちにイギリスに逆輸入され、サッチャー政権による鉱山労働者鎮圧に使われたという。また、67年当時在香港日本領事館領事であった佐々淳行は英警察当局と交流があり、その縁で東大安田講堂占拠の鎮圧で催涙弾が使用されることになったという（https://global.udn.com/global_vision/story/8663/4166427）。

軍事行進をするがごとくの速度で通り過ぎた彼らは、今度は放水車の後ろ側に陣をひいてゆっくりと後退し始めた。そのうちどこからかデモ参加者が増えてくる。彼らが後ろ向きに下がっていくからか、だんだんと、あちこちから思い思いの生きの良い声が上がってくる。警察を嘲っているのだとTさんから説明された。

奴らを背景に自撮りする人たちもチラホラいる。距離は50メートル、100メートルを超える。どんどん罵声は高まる。この距離では威圧感も薄れる。私もその様子をカメラに収めていると、バンという音、そして煙が……。

Tさんとあらかじめ決めておいた横道に退避し、ある程度離れたところで元の方向を見た途端に、そよ風が吹いてきた。これは催涙ガスの風下だな、良くないなと思ってさらに離れようとしたのだが、目がだんだんと痛くなり涙が溢れ出てくる。Tさんもやられたようだ。

涙で前が見えないのだが、さらに路地の方向へ移動しようとすると誰かに肘を掴まれる。もう少しガスから逃げたいという思いと、自力でなんとかしたいという反射的な反応から肘を振り切ろうとするが、目がよく見えない上におだやかに両ひじを掴まれたので諦めて指示に従う。どうも二人一組の若い男女の救護チームらしい。あらかじめ腰のカバンから準備してあったスポイト状の容器を取り出し、上を向いて目を開けるようにと指示する。Ｔさんが、この人は日本から来たのだと言ったのか、最初、広東語か英語で話していた彼らは日本語で話しかけながら水を容器から点眼しようとする。上を向いて、目を開けて右に左に頭を傾けてと、確かに外国人の言葉遣いであるが驚くほど優しい口調で諭す声に従って点眼を受けると、すぐに涙は止まった。私が感謝の言葉を述べると、彼らはすぐに立ち去っていった。

なんとも魔法のように不思議な出来事だった。そして、何よりも彼らのあまりのテキパキとした効率の良さに感心してしまった。黒装束部隊から看護隊まで、どう見ても１０代から２０代前半である。その緻密な組織力は驚くべきものである、しかし同時に彼らの身振りには遊戯性も感じられる。彼らはオンライン、オフラインを往来しつつ、脆さと力強さ、純朴さと狡知を併せ持つ、２０１９年の闘争の主人公たちである。

確かに黒装束が星条旗を掲げていたりするのはまともではない。しかし、昔ながらの左翼がたまに主張するような（北米ではよくある主張）、香港の運動イコールＣＩＡの扇動だ、などということはあり得ないだろう。もちろんＣＩＡはどこかで関与しているだろう。しかし、こんな人間のエネルギーの質量が外からの注入だけで成り立つわけがないのだ。それぞれがその場でできることをする。これこそ共有脳でありコミューンではないか。

そしてその夜のことである。仲間の活動スペースに戻ってみなと話していたところ外が騒がしい。ヘリコプターが旋回している。外に出てみると２０メートルも離れていない場所で、逃走しようとした若者を武装警察が捕縛しているではないか。仲間の一人が路地に出て若者に名前を聞く。後ろ手に手首を縛られた若者は名前を叫ぶ。行方不明になった人や不審死をとげた人もいるから、名前を聞き出すのだ。ヘルメットを被らずマスクだけをしている、重量級の柔道選手のような体格の指揮官がこちらを睨みつける。特殊警棒を手にゆっくりと近づき、スマートフォンで撮影している仲間に向かって一喝する。

さらに武装警察は数を増やす。走りゆくもの。捕縛現場を取り囲み、こちらを注視し、点滅するストロボライトをこちらに向けるもの。こちらからは何も見えず、向こうからは丸見えだろう。その光の充満の中で私のスマートフォンの画像は途切れている。

友人たちの話によれば、２０１４年の雨傘運動や２０１６年の旺角（Mong Kok）で起きた暴動の時はリーダー的な存在がいたのだという。２０１４年にはリベラル左派が、２０１６年には香港の独立を主張する本土主義右派がヘゲモニーを握っていた。しかし、今や運動は彼らの方を向いていない。ちなみに日本でいまだに雨傘運動のリーダーのように思われスポークスパーソンのように必ず話を聞かれるアグネス・チョウやジョシュア・ウォンもさしたる影響力を持っていない。

今回の旅で私が目にしたものは、古今東西のものを混淆させたスタイル、リベラルな弛緩と物理的衝突を否まない緊張の両面性と、それらのベクトルの統合へと解消されない矛盾的共存（副次的矛盾）であり、それらに対する中国という新しい世界権力による暴圧である。

しかしこれは弾圧というよりは迫害に近いのではないか。弾圧とは進歩的な社会を求める思想や運動に対するものであるが、ここには進歩への希求も思想もある訳ではない。この現行の世界の誰もなんだかよくわかっていないこの生（剥き出しの生）を迫害する権力の姿である。この権力はなぜにこの生を迫害するのか、いかなる統治者なのか、そもそも何ものなのか。真相はわからないまま錯乱のうちに彼らは削ぎ取られた生そのものへの後退戦を戦っているのだ。

さいごに

いわゆる自由民主主義社会におけるメディアでは、今回の香港の闘いは、一国二制度という言葉に隠された、一党独裁の欺瞞を露わにしたと考えられている。そこにはある一定の真実があるだろう。しかし同時に、そうした見方は、習近平体制の提唱する「中国夢」という繁栄のビジョンが、今までの中国の雑然としたイメージからは想像もつかないような中国の新しい統治形態とも言える市民社会を着々と作り上げていることを隠蔽してしまうのではないか。

今回の旅で、目にした落書きに次のような老子の一節を見た。

民不畏死、奈何以死懼之（もしも人民がいつでも死を恐れなくなれば、どうして死刑によっておどせようか。

――『老子』74章、蜂屋邦夫訳、岩波書店、2008年）

2019年の闘争にとって極めて内在的なこの問いかけに、「中国夢」という一見アメリカを中国に置き換えただけの新しい統治の言葉はどう答えていくのだろうか。そして死を懼れない人民は別の生をつくり出していくのだろうか。そ

▶中華人民共和国の街路を飾る「中国夢」

の答えは、これからも続くであろう長い闘いの中で、我々が見出していくことだろう。

（2019年11月9日）

蜂起の三ヶ月（CRIMETHINC）

以下は二〇一九年九月二〇日にCrimethinkに掲載されたThree Months of Insurrection An Anarchist Collective in Hong Kong Appraises the Achievements and Limits of the Revolt の訳である。

https://crimethinc.com/2019/09/20/three-months-of-insurrection-an-anarchist-collective-in-hong-kong-appraises-the-achievements-and-limits-of-the-revolt

以下につづく出来事の時系列とインタビューは、香港のアナキスト・コレクティブの手によるここ数ヶ月間の反乱の包括的な要約である。この中では反乱の成果についての評価がなされ、その限界が見極められ、相互扶助と反抗が繰り広げられた感動的な瞬間が言祝がれ、そして権威と市民の怒りに訴えかけることに基づく枠組みを超えるための、未だ果たされていない方法についての批評である。この記事はわれわれが六月に掲載した同グループへのインタビューの続編だ。

香港での闘争の評価は国際的には二極化している。一方で、中国政府に対するいかなる形の抗議行動も、まるで抗議者たちが国家の指導から離れて彼ら自身の課題を設定することが不可能なことであるかのように、これを単にアメリカの陰謀だと見なす陰謀論者たちがいる。他方には、この運動がなおも抱えているナショナリストの問題、そして新自由主義的な神話について何も懸念することなく運動を応援する者たちがいる。

他国の政府や法、警察への素朴な信頼を持ち続けながら、ある特定の国の政府やその法、警察の正当性をどうして積極的に拒絶することなどできよう。そのことを香港での出来事は示している。この信頼が何らかの形でとどまる限り、一連のサイクルは必ずや繰り返されるだろう。しかし、香港が蜂起へと突入したこの数ヶ月の出来事は、資本主義、ナショナリズム、そして国家の取りうるあらゆる形式に抗する世界規模の闘争についてイメージすること、そしてこのような闘争が出現するたびに依然として無くならない障害について同定することにも寄与するだろう。

出来事の経過

以下に闘争の詳細な経過がつづく。ここ三ヶ月に生じた出来事についてすでに把握しているならば、読み飛ばして後ろのインタビューへと進んでもらいたい。

二〇一九年六月

二〇一九年春、香港政府は中国本土を含む他国への自国民の引き渡しを可能にする条例を提出した。

この逃亡犯条例に抗する大規模な平和的デモが六月九日に行われ、多くのひとびとが参加した。つづく週の間、オンラインフォーラムのＬＩＨＫＧの参加者の中には、抗議に際して経済的な戦術の採用を提起する者たちもいた。

六月一二日、逃亡犯条例の審議が立法会で予定されていたこの日、抗議者と警察が香港政府本部の周辺およびＣＩＴＩＣタワー周辺で衝突した。警察は参加者に向けて一五〇発以上の催涙ガス弾とゴム弾を放ち、多数の負傷者が出た。五名が逮捕され、暴動のかどで罰せられた。

政府は六月一五日に逃亡犯条例の審議延期を発表したものの、ひとりの抗議者がその日の後に落下死した。遺言の中で、彼は「逃亡犯条例から完全に手を引け、暴動の嫌疑を撤回しろ、負傷した学生たちを無条件で解放しろ。そして林鄭は辞職しろ」と主張していた。それから後、これらの主張の殆どが闘争の要求の中に数え入れられた。そして翌六月一六日には二〇〇万のひとびとが街頭抗議に参加した。

六月の終わりから七月一日

六月二一日、抗議者たちはこの運動の中ではじめて「ゲリラ」行動を試みた。政府の本部庁舎前から警察本部、税務ビル、入境事務ビルへと隣接する地区を動きまわり、入口と各課を封鎖したのだ。翌二十二日には税務ビルへと戻り、利用者に不便をかけたことを謝る者もいた。

六月二六日には、G20に出席した首脳陣へ、香港の危機に対して働きかけるよう訴える広告キャンペーンがクラウドファウンディングをもとに世界規模で打たれたが、目に見える反応を何ももたらさなかった。さらに六月末には二人の抗議者が自殺した。捨て鉢な気分も高まり、七月一日が近づくにつれ多くのひとびとが、闘争は「最終局面」に差し掛かったと口にするようになった。

七月一日、抗議者たちは立法会総合ビルへと突入した。平和主義的なデモ参加者たちはこの行動について密かに懸念を口にしていたが、最終的には行動に加わったひとびとを糾弾しないことを選んだ。立法会議事堂へと踏み込んだ四人の抗議者は機動隊が到着した際に退室を拒み、多くの抗議者たちが彼らを「助ける」べく戻った。このとき以来、分派に「分裂しない」（不割蓆）、「共に（デモに）来て共に（機動隊から逃げる際には）行く」（齊上齊落）という方針がコレクティブ内の闘争のエートスとして明確化された。

七月初頭――衝突の拡散

二〇一四年の雨傘運動において、デモ参加者たちはレノン・ウォールという即席の無許可掲示板を作り出した。それは「良心的な市民」が、広く目に見える形で「政府に救済を求める」ためのものだった。二〇一九年には、このモデルは完全に平和主義的なその起源を超えて、情報の拡散や戦略の調整のための性質を帯びるようになった。六月三〇日には、抗議者たちが香港政府本部に設置したレノン・ウォールが警察によって破壊された。これを受けて、レノン・ウォールがあらゆる主要な地区に姿を現しはじめ、その防衛のための人員が一日中配置されるようになった。

七月一日には、逮捕が一件もなかったにもかかわらず、多くのひとびとは警察からの報復が待ち受けているのではないかと恐れた。他国に避難する者もいた。誰もが警察に逮捕されたときに何をいうべきか——そしていわないべきか——機械的に暗記しておく必要性を強いられた。「わたしには黙する権利がある」というフレーズはミームとして広がり、この呪文はＬＩＨＫＧのメッセージボードで賛成票を投じる手段として反復されはじめた。

七月七日、大規模な集会が香港島のメイン抗議地域の外ではじめて起こった。その地域を出入りする本土の観光客に向けたスローガンが掲げられ、ビラが配られた。抗議は次の週にさまざまな地区へと拡散し、特に激しかったのは七月一四日のシャティンで起こったものだった。近隣のひとびとは盾として用いるためのビート板を抗議者たちに窓から投げ渡すことで彼らへの支持を表明し、自分たちの団地へと押し入ってくる警察には怒りの声をあげた。警察はこの時はじめてショッピングモールにまで突入し、シャティンニュータウンモールの床を血まみれにした。シャティン行きの列車は警察の命令により止められる一方で、抗議者の逃亡を手助けする自己組織化された自動車相乗りチームが形成された。

七月一七日には、数回の激しい衝突の後、数千人の高齢者が若い抗議者への支持を表明するべく行進し、自分たちは若い世代が「古びたガラクタ」と呼ぶ同世代の大多数のような保守的な卑怯者ではないと断言した。

七月二一日

香港の中国共産党公式広報機関である中国連絡事務局への行進の際、黒いペンキで塗りつぶされた中国の国章が目についた。ひとびとは、「香港に栄光を取り戻せ、革命のときだ（光復香港時代革命）」というスローガンをこの運動においてはじめて唱えた。警察は事前の警告なしに催涙ガス、ゴム弾、スポンジ手榴弾を発射した(1)。

一方その頃、ユエン・ロング駅では白いシャツを着たトライアドたち(2)が電車内で抗議者と民間人を襲った。この暴行の背後には親北京議員のジュニウス・ホーがいたとみなす者もいる。襲撃は警察の手を借りながら行われ、警察は傍観していた。逮捕者はほとんどおらず、起訴された者もいなかった。この事件は大衆が警察に対して激しい怒りを向ける導火線となった。

七月末から八月初頭――激化

ひとびとの漠然とした記憶によれば、警察がはじめにデモの許可証の発行を拒否したのは、トライアドによる強襲から一週間後の七月二七日に元龍で行われる予定のデモだった。数千人がこれに抗って通りに集い、その後許可なくデモ行進を行うことが標準となった。

「合意された」出発時間について抗議者の間で誤解が生じ、LIHKGで長時間の議論が行われ、前線とその背後の遊撃隊との間で一層密な意思疎通を行うことが求められることとなった。

七月二八日、四九人の遊撃隊が逮捕され、そのほとんどが暴動の容疑で起訴された。その日から八月上旬の間、抗議はより自然発生的かつ瞬発的なものとなり、抗議者たちは香港の地下鉄であるMTR(マストランジット鉄道)を介してさまざまな駅に移動し、主に警察署を標的にするようになった。ひとびとが警察署に火炎瓶とレンガを投げはじめ、パチンコを使用するようになったのもこの頃がはじめてだった。近隣から一層多くのひとびとが闘争の支援へと訪れ、警察に向かって怒りの声をあげ、参加者を駅へと送り届けた。警察は、高齢者向けの住宅地や家の周りに催涙ガスを繰り返し配備した。

八月三日、ひとびとはクロスハーバートンネルを遮断した。八月五日、男性将校部隊がティンシュイワイの女性抗議者を連れ去り、わざと彼女のスカートをたくし上げ露出させた。この同時期に、警察署での性的暴行に関する報告が拡散されはじめた。

また、八月五日には大勢がさまざまな地区で「ゼネスト」に参加した。ひとびとはその朝早くにMTRの電車のドアを塞ぎ、ほぼすべての路線を停止させた（この行動は七月三〇日に「リハーサル」されていた。一つの駅が早朝に閉鎖され、午後には香港島にあるさまざまな主要インターチェンジ駅で短期的かつ周期的な封鎖が行われたのだ）。多くの地区の警察署で終日衝突がつづき、夜になると、青や白のシャツを着た親政府のギャングが鉄の棒とナイフで抗議者を襲撃した。

八月半ば——目には目を

警察がある若い男性を、「危険な武器」一〇個のレーザーポインターの所持という名目で逮捕したことを受けて、ひとびとは八月七日に香港宇宙博物館の外でレーザーポインターを用いて独自のハーバーフロントライトショー（香港政府がビクトリア・ハーバーで行っているショー）を執り行った。同日、初の記者会見が闘争を代表する形で行われた。これは抗議者のグループによって組織され、毎日開かれている警察の記者会見に対抗するものだった。

八月一〇日の週末には複数の地区でフラッシュモブによる封鎖が発生した。八月一一日、シャムシュイポーからの抗議者がチムサーチョイに移動した。そこで警察がビーンバッグ弾で女性の救急救命士の右目を潰した。

「目には目を」は口伝えのミームになり、韓国の著名俳優キム・ウイソンがはじめた「香港の目キャンペーン」は八月後半に世界中に広まった。

同日、警察はクワイフォン駅の閉鎖された空間で催涙ガスを発射した。近距離から抗議者を撃ち、彼らをタイクー駅の混雑したエスカレーターに押しつけた。抗議者に扮した覆面警官は予告なしに逮捕を行い、これは抗議者たちに不信感を植えつけた。

翌日、八月一二日、多くのひとびとが空港に集まって警察の残虐行為を非難し、何百ものフライトをキャンセルさせた。凶暴な機動隊がやってくるという噂が午後の間ずっと広がり、大多数は午後六時前に早々と帰った。その後八月一三日には、その噂にだまされたと怒った抗議者たちが空港へと戻り、乗客の搭乗を積極的に封鎖した。夕方には抗議者たちが参加者に変装した二人の男を確認し、場の空気が張り詰めた。一人は本土の警備員、もう一人はそれと密接な関係を持つグローバルタイムズ〔中国系の新聞〕のジャーナリストだった。両者は縛られ、抗議者にたこ殴りにされた。この事件は、本土で広く報告され、運動に対する強い反感を引き起こした。その後、抗議者の間で、侵入者の扱いに関する論争が激しくなり、八月一四日に自己批判を表明することとなった。しかし、意見が相違しているにもかかわらず、抗議者間の「団結」は持続し、抗議者が誓った団結は核爆発のような逆境を乗り切った〔核爆都唔割〕。

八月末

八月一八日、大雨にもかかわらず、何百万人もの平和的な抗議者がデモ行進に参加した。

八月二三日、市内全域で「香港の道」行動が行われた。空港の封鎖を支援したりソーシャルメディアの動向に共感を示した航空スタッフとキャセイパシフィックの組合指導者が北京からの圧力によって解雇された。被拘禁者に激しい殴打やレイプまでも含む性的暴行が加えられたという複数の報告が出回り、八月二八日には性暴力に対する #ProtestToo の集会が行われた。

八月二四日、MTRはいくつかの駅を閉鎖し、クントンでのデモの直前に近接地区での列車の運行を停止した。その日から、抗議者たちはMTRを「パーティトレイン」と呼びはじめ〔黨鐵〕、破壊行為の標的とした。クントンでの抗議の際、抗議者たちは「五大要求」として知られるようになった要求を提示した。すなわち、条例の完全撤回、「暴動」の嫌疑の撤回、すべての逮捕者の無条件釈放、警察の犯罪に関する独立した調査機関の設立、および普通選挙の五つだ。地区に設置された「スマート街灯」〔顔認証システムが搭載された街灯〕を切り倒した者もいた。彼らは支柱を下ろし、回路を分解し、部品の製造場所を特定した。

八月三一日、著名な活動家や議員が逮捕されたにもかかわらず、数千人がなおも通りに押し寄せた。八月二五日にはじめて試験的に運用された放水砲は、現在では青唐辛子液で満たされている。抗議者は警察本部周辺の路上バリケードに火

を放ち、また覆面警官を特定して取り囲んだ。

その後、プリンスエドワード駅にて、警察は駅構内で抗議者と通勤者を無差別に暴行し、催涙ガスを吹きかけ、七人が重傷を負った。この記事の執筆時点では少なくとも三人がいまだに行方不明となっており、多くの人が警察によって殺害されたと思っている。ＭＴＲはＣＣＴＶの映像を公開せよというひとびとの要求に応じておらず、この後、警察とＭＴＲに対する反感はさらに高まり、ひとびとは様々な運賃未払いのテクニックを広めていった。

九月初頭

九月一日、大勢のひとびとがバス停や空港に向かう幹線道路に集った。空港封鎖の後、高等裁判所が抗議者に対する制限命令を可決したために、空港ビル自体は立ち入り禁止となっていた。この行動によって、午後にかけて空港への交通網が完全に麻痺した。大学生や中学校の生徒たちは九月二日にストライキを行い、大多数は学校の前で警察や政府の支持者からの襲撃を受けた。学生と卒業生は、一週間を通してさまざまな地区で人間の鎖を形成した。
　そしてついに、首相は九月四日に逃亡犯条例の撤回プロセスを発表した。このプロセスは十月に議会の閉会期間が終わってから開始される。それでも、運動は政府が五大要求すべてを受け入れなければならないと主張している。この記事の執筆時点で、ＭＴＲの駅破壊行為は、行方不明者の所在に関する調査要請や八月三一日からつづくＣＣＴＶ映像の公開要求とともに継続中だ。

インタビュー

　われわれはこのインタビューをアナキストコレクティブとともに行う。彼らはこの一五週間以上を精力的に闘ってきた。大量の催涙ガスを浴びる合間をぬって、彼らは以下の問いへの回答を考えるために集まってくれた。これらの回答は検証と追憶に費やしたいくつもの眠れぬ夜の成果であり、コレクティブのメンバーたちは背負いきれないほどに大きく、きつい記憶から溢れ落ちてしまったものを埋め合わせるべく協力しあった。

　――どの地点で運動はある高みに達したのか。そして、なにが運動を加速させ、拡散させ、生き延びさせたのか聞かせてほしい。

　運動がある高みに達したのは、おそらく八月五日、「ゼネスト」が最初に提起された日だと思う。
　厳密な意味でのゼネストが打たれたわけではないのに、実質的に多くの都市が一日中閉鎖された。その規模の点、はじめてストライキが組合の外の労働者の手で（単に経済的というより）政治的な理由のもとに召集された点をはじめ、あらゆる意味で記念碑的な出来事だった。
　同時に、警察署が包囲された――ある場合には放火され、破壊さえされるなどの継続的な攻撃を受けた――にもかかわらず、国家は〔要求に対して〕沈黙を続け、その日の出来事によって目に見える成果をあげることはできなかった。

都市の全域において警察に対する民衆の報復が忘れることのできないかたちで実現したにもかかわらず、それによってこの日が華々しく終わるとは誰も予想できなかった。しかしこれを画期として、ひとびとは政府に答えを要求するにはあらゆることをしなければならないと感じはじめたのだ。その夜の陶酔感は怒りへと発展していった。

そのときから、警察への怒りは運動を駆り立てる大きな要素の一つとなった。

みんなには香港警察の好き勝手な蛮行を知ってもらいたい。連中は日増しにやりたい放題に蛮行を振るうようになってきている。これは、一九六〇年代後半の暴動とその後の数十年にわたる腐敗を経て、「アジア最良」を自任すべく努力を重ねてきた警察と同じ警察なのだ。確かに、香港とは生産者と消費者が自らの考えや商品をなにものにも干渉されることなく流通させ、悠々自適に生活を送ることができる自由主義的な大都市だ、という幻想がうしなわれたことは多くのひとびとにとってトラウマとなった。しかし、警察学校の若い卒業生たちはそのトラウマを受け入れなければならないばかりではない。加えて、彼らのような教育機会が限られていたために一定の仕事にしかつけなかったひとびとが望みがちな、雇用不安がなく、定期的な昇進とボーナスが保証された、控えめで平穏無事なキャリアを得るという望みまでもうしなったのだ。

われわれは警察には全く同情しないが、やつらを駆り立てているのが一途で際限のない怒りだということは明らかだ。この怒りは彼らがぶちのめしているひとびとも分かち持っているものだ——もちろん、警察どもは合法的に認められた存在だというところと、暴行が奨励されているところが違うのだが。やつらの倒錯した振る舞いを考えるとゾッとする。たとえば、抗議行動の場へと配置される前に上官からどんな「フルメタル・ジャケット」式の叱咤を受けているのか、警察学校の生徒たちが参加するワッツアップ〔メッセンジャーアプリ〕のグループではどんな下劣な会話がなされているのか、どのようにして怒りを持続させ、抗議者の頭を叩き割ろうと躍起になり続けているのか、などなど。たとえばあなたたちが今逮捕されたとして警察署で実際に何をされるのかわれわれのコレクティブの誰も定かにすることはできないが、拷問や、性的虐待どころか、女性抗議者への輪姦の噂さえ広く報告されている。

一方、八月五日以降に行われた戦術の激化は、暴力を増大させる警察や民間企業——たとえばＭＴＲは自社の地下鉄駅に隣接して馬鹿でかい私営ショッピングモールやアパートを作り、またニュータウンモールという、機動隊が押し入ってその床を血塗れにすることを不当にも許可した市内最古の消費者の要塞を築いた——のやり口に対する〔当然の〕リアクションなのだという感覚をひとびとは抱くようになった。この闘いでは抗議者と警察が血を流す争いとなった。

先週、警察はプリンスエドワードのＭＴＲの駅を包囲した。連中は地下鉄車輌に突入し、抗議者らしき人間を見てては無差別に殴りたおし、犠牲者を血まみれの床に放置し、そして治療を受けることを妨害した。やつらは何時間もの間、駅を封鎖された強制収容所へと変え、三人を失踪させた。この三人は殺されたと噂されている。衝突した際の危険性は依然として高まっており、おそらく報復の連鎖はつづくだろう。

多くのひとびとはライブフィード〔情報共有のためのソーシャルＩＴアプリケーション〕に釘付けになっていて、眼前で起きた出来事——ジャーナリストが失明し、警察に質問した見物人が逮捕された——に日々衝撃を受けている。したがって、ＬＩＨＫＧのいくつかのスレッドにおいても、警察への復讐に全力を注ぐのではなく、もっと広く状況を見渡すよう闘争の参加者たちに呼びかけているものの、警察に関心が集中することは止め難いだろう。このような〔残虐な〕行為は、警察自身によって明らかに奨励されている。警察は、最前線で火炎瓶を投げる抗議者に偽装するほどの恥知らずで後づけのアリバイを必要としている。ひとびとの動きを促進しているのは明らかに警察自身だ。

認めたくはないが、この闘争は警察の暴力によって勢いを増している。われわれはこのことを特定すべきだし、検証すべきである。たとえば、八月一一日、最前線の背後にいた看護師がゴム弾を食らって失明したが、これは決して偶発的な「巻き添え被害」ではなかった。警察はこのところずっとひとびとの頭を狙っていたのだ。翌日、空港に大人数が押しかけて、「警察は目を返せ」と要求するミームが口伝えに拡散した。それはその日の事態を活気づけることになった。その夜、抗議者たちはある市民を捕捉した。拘束された二人の市民は中国共産党の手先であると疑われていた。そこで空港警察隊との小競り合いが生じた。

闘争が、警察の違法行為によって活気づけられた激怒を糧とし続ける限り、警察を正すために上位審級――アメリカ、西洋世界、または国連――へと請願する動きがあろうと、その高揚が警察からの挑発に左右されることに変わりはないし、香港の社会闘争がいまだ克服していないある地点から先にすすむことは絶対にないだろう。つまり、「市民の正しい憤りという地点」だ。

では警察のあれやこれやの不正義に対する市民の怒り、その溜め池が空になったとき何が起こるのだろうか？　闘争の参加者たちは、国家の乱行に対する当然の対応として違法行為を正当化することで、常に道徳的に高度なポジションにたつ必要があるだろうか？　ひとびとは〔警察に対して〕イニシアチブを取るとか、攻撃を仕掛けることがどうしてできよう？　これは必ずしも物理的な意味での攻撃を意味するわけではないが、ニーチェ的な意味で「活動的に－なる」ことで、敵に依存し魅了されるという「奴隷の道徳」が不要なものになるのだ。

警察暴力のスキャンダルは、あらゆる住民をして黒服を身にまとって外へと出させ、ガスマスクを装着した抗議者とさせて、様々な地区の警察署の前に集まらせるほどにまで都市を極限化した。ウォン・タイ・シンとクワイ・チュンで起こった出来事がとても有名だ。数百人のひとびとがショーツとつっかけという格好で階下に降り警察に抗議したところ、一人の警察官が腹を立てて丸腰のおじさんおばさんにライフルをぶっ放した。警察の暴力は〔結果として〕さまざまな住民たちがその取り組みを組織化する際の核としても機能している。たとえば、大メディアが拡散するデマと闘う試みの一環として、公共の広場で近隣住民たちとの上映会が開催され、それによってひとびとは実際に何が起こったのかを見ることができるようになった。同様に、シャティンのニュータウンモールの情報カウンターに隣接するスペースは抗議情報局に変わり、そこには抗議者が常駐して、興味を持った通行人といつでも気軽に対話することができる。一方で、あらゆる地区に現れたレノン・ウォールは（特に公営住宅団地のあたりのがそうだ）凄まじい対立と殺意に満ちた怒りの場であるのと同時に陽気な場所になった。深夜にやってくる放火犯やナイフを振り回す凶悪犯からポストイットの壁を守る必要が出てきたが、この点において近隣住民のイニシアティブはとても重要になっている。それは目下の行き詰まりから抜け出す道を示しているかもしれない。

このことは、何が運動を生き延びさせるのかという問いについての最終地点へとわれわれを導いてくれる。他の地域から香港へと足を運んだ友人が驚くのは、運動の統一と全会一致の原則だ。彼らは、あらゆるイデオロギー的派閥や背景を持った叛徒たちが、自らのイデオロギー的正しさについて口論するのではなく、具体的な行動を共にする様を目の当たりにすることになる。この全会一致の原則の遵守はほとんど宗教的なものと化して、この原則を脅かす諍いが持ち上がった際には執拗なまでにメッセージボードで反復され、まるでマントラのようになっている。誰の眼においてもあきらかなこの連帯の意味、すなわち闘争の最中に生じた戦術面での不一致を悪用しようとする国家からの系統的な攻勢に抗して大衆を結びつけるこのコンセンサスは、底抜けに陽気な言葉でもって要約されている。「わたしは闘争から誰も排除しない。たとえ彼らが核爆弾を爆破することを決めたとしてもね」。平和主義者と火炎瓶を投げる叛徒との間に走る溝は未だに深いが、それぞれは変更不可能な役割を担っているわけではない。最前線の隊列は大規模な逮捕を通じてどんどん縮小しているが、一方では数週間前まで見物人だったひとびとがその間隙を埋め合わせている。メッセージボードとテレグラムの各チャンネルは闘争の際、双方に生じた様々な出来事について感想や意見を交換するコミュニケーションの回路を提供している。このことは多くの点で驚くべきことであり、凄まじい成果だ。それは間違いなく長期にわたって持続してきたし、そしておそらくこの後も長い間持続するだろう。

同時に、この全会一致の原則の実施によって運動の大きな問題が覆い隠され、またこの原則はひとびとがそれらについて考えることを禁じてしまう〔側面がある〕。これについては、このインタビューの後半であらためて言及する。大衆運動において、ひとびとの士気を維持する必要があること、闘争のノリに常に注意しなければならないこと、動揺し絶望がはびこるときはたがいに励まし合わねばならないこと、これらに疑いを挟む余地はない。しかし、この肯定的な雰囲気を通じて、ひとびとを孤立させることやデモに人が来なくなることへの恐れからくる差異、相違、いさかいへの嫌悪が覆い隠されると、積極性はパラノイアと区別できなくなり——そして諸個人の特異性は結果的にその力を削ぎ落とされ、群れ集うひとびとのかたわらでひとり立ちつくすようになってしまうのだ。

これによって醸成される空気が、批判を行うことを非常に困難にさせ、特にアメリカや植民地時代の旗を振るなどの非常にいかがわしい現象への批判を難しくさせる。闘争を通じ、自由寛容の原則は前例のない形で武器となった——「われわれの兄弟そして姉妹よ、あなたにはあなたの意見があり、わたしにはわたしの意見があるのだ。わたしたちは皆それぞれが対立する意見をもつ権利を尊重しあおう、われわれを脅かすような敵対関係を作り上げない限りにおいて」。しかしこれがうまくいったとしても、それが香港の社会闘争の未来に寄与するものであるという証拠にはならない。この類の文化は、誰も排除しないように装いながら一方で実際には皆を排除し、痛みを伴い、不安を掻き立て、あるいは動揺させうるような問い、つまりわれわれにその深さを精査させ、われわれを主体として構成する諸条件と向き合わせるような問いについて考える余地を与えなくさせるのだ。そう問うためには、われわれは目下の出来事のトラウマを超えて、はるかに広い規模のトラウマに立ち向かう必要がある。つまり、われわれが常にその再生産に関与している「秩序」というトラウマに。

結局のところ、ある種のひとびとを事実上不可視にするのはこの「秩序」だ。たとえば、ここ数ヶ月の間、誰も外国人家事労働者の苦境を考えるために立ち止まることはなかった。大抵、毎週日曜日にこういった女性たちが都市中央部やコーズウェイ湾、モンコック、ユンロンなどの主要な地区の広場に大勢で集まっていたものだが、彼女らは最近の衝突の際の戦闘によって一掃された。抗議者のために作成されたリアルタイム地図にアクセスできないため、これらのエリアにガス弾が放たれていても警告が届かないのがほとんどだったのだ。その結果、彼女らは唯一の休日にどこか別の場所に移動することを強いられた(3)。こうした闘争の結果は不幸なことだが、受け入れられないのは、抗議者たちがこの問題の周知を怠り、彼女たちに対する共感を欠いていたからだ。

通常、都市の大多数の家庭が彼女らを雇用しているにもかかわらず、家事労働者を取り巻く状況は気づかれないまま変わり続けていく。誰も自国の政府、雇用機関、およびこの都市の労働部門間の協定に抗する独立した組合を介して勇敢で持続的な抗議を組織しようとしないのだ。また、地域の社会運動体が彼らへの積極的な支援と理解を示す例は少ない。なのに、逃亡犯条例に反対する運動の参加者は「自由な世界」の立派な市民から同情を集めることに専念し、空港の観光客に香港の窮状を説明するのに時間を割いている。

これは闘争における目下の大きな盲点だ。調査されずに放置されていたが、この問題は最近、衝突が起こった広場でぶらぶらしていた出稼ぎ労働者に対するグロテスクで容赦ないキャンペーンによって頂点に達した。数週間にわたって、LIHKGのスレッドでは「違法な集会」に参加したかどで抗議者が逮捕され拷問されている間に、なぜ移民労働者が集まって路上でピクニックすることが認められていたのか問いただす意見が散見された。その皮肉な口調から、彼らの思考にゾッとするような面が含まれていることがあからさまになった。「なんなんだこのダブルスタンダードは」と投稿者たちは書き込んだ。「われわれは抗議者が身の危険を感じている傍で、たわいもなくカラオケを歌って楽しんでいるおばさんたちに、自分たちが住まう都市がどんな状態なのか知らしめる必要があるのではないか?」「彼女たちは政府局に許可を問うまでもなく路上でパーティーを開けるのに、われわれは抗議する資格を却下されたのはなぜかのか?」

こういったナンセンスのすべては、数日前、どうしようもない馬鹿者が公道や橋に外国の家事労働者は全員許可なく広場にたむろすることはできないと書いたステッカーを貼りはじめたことで頂点に達した。これらクソのようなステッカーは、悲劇的な無能性をあらわしている。抗議者たちは実に多くの移民労働者たちとやりとりをしたにもかかわらず、移民労働者たちの窮状について全くきちんと考えて来なかったのだ。そしてそれは闘争の以前や最中はもちろん、この闘争の後においても変わらない。確かに、このステッカーを作って貼った人間を運動の大多数の代表であるとみなすべきではない。しかし、同時に、大多数の人間は表立ってこれを非難してもいない〔ことも見ておかなくてはならない〕。

社会の日常生活を特徴付けるこの「秩序」は、運動の中でその醜い頭をなんどももたげてきた有害な性差別文化をも再生産している。抗議者は女性警察官のInstagramプロフィールを発掘し、犯してみたい売春婦と呼びたてた。デモ参加者は、お前が夜中ガス弾を撃ち続けている間、妻は間男に腰を打ち付けられているぞと警官をなじった。血気盛んな男の抗議者は女が前線に立つのを妨げ、警察による逮捕とレイプから「われわれの女性を守る」というプラカードを掲げた。警察署での性的虐待とレイプの可能性のニュースが最初に広がり、LIHKG参加者の女たちが女性の行進を組織するというアイディアを提起したとき、男たちはパニックになり、女たちは男たちの保護なしに自分たちだけで行進しようとしているのではないかと心配した。そしてこのパニックによって、男たちが「わが姉妹たちとともに行進することが自分たちに許されていなくとも、彼女たちを守るため最後まで完全武装で背後を行進する」などと誓うばかげた光景がもたらされた。これらは闘いをめぐる男たちの思考を示している。

われわれがこういった話題に言及するのは、「キャンセルカルチャー〔芸能人や要人の過去の差別発言などを引き合いに出し、当該人物のキャリアを終わらせる（キャンセルする）動きのこと〕」を拡散するためではない。そんなことをしても、聖人ぶった解放だとか道徳的な演説、社会階層の永続化のためだけにしかならないし、われわれが絡め取られている社会的関係を変化させる何ものにも寄与することはないだろう。むしろ、われわれは自らの窮地を正確に知るべきなのであり、この窮地が冷酷な「共産主義者」の殺人機械によって壁際まで追い詰められ、迫害と苦境に苦しめられたひとびとについての単純な物語よりもずっと入り組んでいる、ということを理解したいのだ。

中国という獰猛な野獣を打ち倒すことが最重要の急務だからという理由で、これらの問題の検討が瑣末なものだとか士気を下げるものとして扱われる限り、この闘争が目指す「香港の解放」の進展が得られることはないだろう。

——六月にやりとりをした際、あなた方は過去の平和主義、民主主義、および議会主義的な運動の挫折から生じた一種の指導者なき民族主義ポピュリズムのような、新しい社会的動静について語ってくれた。その後、新しいリーダー、新しい物語、支配の新しい内部構造は出現していないだろうか？　国民主権を超えてひとびとがそのために闘ったり想像したりすることが可能となるような新たな枠組みや地平は開かれたのだろうか？

そんなことはない。われわれが先だって話したときから物事はドラマティックな形で変化してなどいないのだ。一般的な理解はこうだ。この運動への参加者は、差異を含みおそらく整合性の取れていないものが持つ多様性に反する形で、満場一致の、共通の、そして合意形成された意見を表明しなければならない。

テレグラムのグループやメッセージボードで、香港の独立を呼びかける声を聞くことがある。この欲望は闘争に参加した多くのひとびとが暗黙のうちに持っているものだという感覚から逃れることはできないが、一方で、運動が目下の課題（五大要求）を見うしなうことへの恐れや、この欲望をはっきり口にすることで生じる危険について大多数が抱いている警戒心のために、そう考えるひとびとは轟々と非難を浴びることになる——この構図は、体制側の政治家たちが、目下の闘争は真に五大要求「について」のものではなく実際は諸外国や分離主義者によって勢い付けられた「色の革命［CIA主導の独立革命の総称］」なのだと断言するのに似ているし、また中国の広報もこういった筋書きを何度も繰り返している。加えて、仕事やその他の個人的な理由で国境を跨ぎながら生きる多くのひとびとにとって、香港の独立は歓迎すべき出来事ではないという事実がある。特別行政区基本法のうちにその概説が記述されている「一国二制度」の規定が守られるのを単に見たいと思っているひとが大半なのだ。

　この地の政治および文化状況について明るくない他国の友人たちのためにもわれわれが協調しておきたいのは――少なくともわれわれの見立てでは――政治文化としてのリベラリズムがまもなく死を迎えるという噂は、すくなくとも香港に関する限り、根も葉もないものだということだ。極言しよう。「常識」として直観的に理解されるリベラリズムの論理は世界中のどこよりもこの地で強固なのだ。このことは、われわれが前回のインタビューで詳述した文脈と、この都市が共産主義中国からの難民たちによって建てられたという事実と大いに関係がある。以下につづくエピソードによって明らかになるのは、この状況は単に香港のみに特有のものではなく、本土の同胞たちにもまた共有されているということだ。

　数年前に催された芸術と政治の主体についてのパネルディスカッションでのことだ。われわれのうちの一人が、中国のあるパンクロックの中心地からやってきた悪友との議論に参加した。彼の出身地では、ジェントリフィケーションと「エコテーマパーク」の建設に抗する行動が進行中だ。夜遅くまで議論を続けた後、飲んで吸いまくったその友人は中国でアナーキーについて論じることの難しさを語りはじめた。毛沢東がその語録の中で説得的な形で明らかにしたように、共産党はアナーキックな力（フォース）であり、気ままにアルケーを超越し生じさせる「構成された権力」であり、革命のために永続的な非常事態を引き起こす。だから中国での日々の生活は日常的な次元で「アナーキック」だ。つまり、西洋の同志たちが広場占拠や路上パーティーの開催などのために（アガンベンが『身体の使用』の中で用いていたような意味での）「使用」について論じているとき、中国ではこの語はその意味をうしなっているのであり、国を構成するさまざまな道路や大通りのそういった意味での「使用」が日々生じているとき、「公共空間」という語の一般的な使われ方と特別な使われ方を区別するための確立された手引き（プロトコル）は存在しないのだ。

　中国警察は職務特権を完全に逸脱する免罪符を持ってお

り、他所では理解不能なやり方で振る舞う。たとえば、前述の中国の地域の友人たちは最近まで共有スペースを運営しており、その地域の住民たちに向けて開かれたカルチャーイベントを催していた。このスペースはあらゆる来訪者に対して開かれており、玄関の入り口は常に鍵がかかっていなかった。流れ者や野宿者たちがよろよろと入ってきて、数日から数週間滞在するということがよくあった。そして、私服警察も「非番」のときにスペースにやってきた。やつらはアメリカのタバコや酒を振る舞ったり、車で街に連れて行ったりなどしてスペースの住人たちに取り入ろうとしており、そしてそこの参加者たちが地域のジェントリフィケーションに反対しているということに完全に気づいていた。「わたしたちは友達さ。きみはわたしたちの友情を台無しにしたりなんかはしないよね?」。同じ警察官はこんな調子で地域の住人に働きかけていた。彼らと家で茶を飲み交わす予定をとりつけ、惜しみなくプレゼントを贈る一方で、丘の上のスペースに行くのは絶対にやめたほうがいい、そこにいるひとたちと関わると酷いことをされるとやんわり伝えていた。なんとおそろしい状況だろう。このように誰もが永続的な例外状態を生きざるを得ず、公式非公式を問わない手の込んだ監視網に捕らえられている状況下で、友人はわれわれに語った。多くのひとびとにとって、リベラリズム――法規範であり、私的所有を施行する規範でもあり、厳密な区分線によって国家権力から個人を守る――は最もラディカルなものに見えるのだと。

友人たちがなぜ「反資本主義的」言説やレトリックが香港では奇異に映るのかと尋ねるならば、それはまさしく文脈や情勢のゆえなのだと答えなければならない。香港人にとって、資本主義は進取の精神、自発性、自立を表している。党の腐敗した縁故主義や企業カルテルに耽溺して喜ぶ香港の実業家や政治屋と並べてみると、それはよりはっきりする。しかし、「資本主義」以上に、われわれは〔ひとびとにとって〕法が神聖なものとしてあることに気づいた。それは超越的地平であり続けており、社会闘争がいまだ踏み越えられていないものだ。たしかに、世界中のひとびとが香港の英雄譚の証人となり続けている。いわく、黒シャツたちが毎日闘争に参加し、地下鉄駅の外装と機器を砕いてがらくたにしたとか、警察署をぶち壊したとか、などなど。しかし、これらの裏には密やかな信念がいまだ息を潜めている。すべては法の支配や、ある人間が反故にしてしまった制度を維持するためになされている、という信念だ。

この観点からすると、あらゆる不法行為とは、それによって「天命」の消尽を権威者たちに知らしめるための手段なのだと理解される。古代王朝から現在までを貫く「中国千年の集合的な無意識」について語るかのように、現代の出来事を語るために古風な語り口を用いるのは「神話的」に思えるかもしれないが、その語彙はなお有効なのだ。というのも、あらゆる事象はわれわれが神話の時代に生き続けていることを教えるからだ。国際的なマスメディアを、皇帝——すなわちアメリカ合衆国——に話をきいてもらうための法廷として活用しながら「国際社会」の宮廷人に控訴し続ける様を、他にどういい表せばよいだろうか。上級控訴裁判所では、われわれを統治するならず者国家の犯罪行為に対して、白昼堂々と侵害を被っていた根源的な自然権の名の下に正義の鉄槌と処罰が下されるという信仰がいまだに生き残っている。わたしは信じている。たとえ清い心の中だけであろうと、あらゆる場所の正しい考えをもったひとびとのあいだには根源的で超越的な法による団結の感覚が存しており、そして正義はなされ、天から正義が降り注ぐだろう——。

これは気が滅入るほどにカント的な問題だ。地元警察の失態は大文字の警察の理念をなにも毀損することはなく、この大文字の警察とやらは来たる救済の日に現れるとされるのだ。

したがって、運動が提起した問いはこのようになる。大文字の警察を動かすためになにが必要なのか？　判事にこの危機は最優先事項なのだと納得してもらうためにはどうすればよいのか？　ここでわれわれは、流された血は全て告発によって贖われ、また、その血は報復を正当化するだろうという望みを抱きながら、身を粉にして証拠を集め保管し、挫折した国家についての検討を通じて寄せられた非難と苦情を蓄積し、あらゆる地域のインフルエンサーたちにわれわれの利益について代弁するよう頼み込むことになる。市民的不服従がエスカレートし、建造物への攻撃や路上闘争、空港の占拠やゼネストへと至ったにもかかわらず、結局状況が変わらなかったとき、ひとびとは人民解放軍の香港への到来という極限的な破局を招きよせることさえ考えはじめた。多くが予想するとおり、出来事は国際的な介入を促進する触媒にはなるだろう。そのときには確実に警察もわれわれをなかったことにはできなくなる、というわけだ。

これがＬＩＨＫＧやその他で広がりはじめた黙示録的なカタストロフの理論だ。すなわち国際社会が（中国）共産党に鉄槌を下すのを待ちながら「全面的崩壊」の信仰に帰依することであり、底しれぬ深淵に飲み込まれる都市を夢想する抗議者たちが抱く、「何もかも燃えてしまえ」という幻想だ。この仮定的シナリオが描くのは、香港の情勢不安があたかもアラブの春の中国版のごとく中国本国に広がっていくことによって、国際社会の経済制裁強化の圧力によろめきつつ小国に分裂し（福建省、ウガン、新疆など）、多数の自治区に分かれてそれぞれ公的かつ法的に独立し、民主香港は広州とともに国家を形成するという事態なのだ。

こうした展開がよく検討されずに放置されている傍らで――例えばこれらの「自律的」区域で相も変わらず共産党の下っ端党員どもが威張り散らしているなど――、この純理論的な視点はある意味で歓迎されている。何はともあれ、恵まれた時代にわれわれが思い描くような未来とは完全に異なる未来を受け入れるための努力を反映してはいるからだ。すなわち、インターネットが遮断され、食料や水、電気を確保するために協力して働かねばならず、世界が粉々に砕け続け、水平線のむこうに自然環境の崩壊がほの見えるような未来を。その他のひとびとにとっては、この想像上のカタストロフは国際的な主要都市のひとつとしてふさわしい立場を保持するための手段としてみなされている。それは、「光復香港時代革命」という、この闘争でもっとも広く用いられているスローガンに表されている。ここでいう「光復」とは、刻苦勉励する香港、人民は愚直で起業家精神にあふれ、その生は大文字の政治の策謀によって損なわれてはいないという類の、原罪を逃れた無垢なる幻想である。

総体的崩壊についてあれこれ皮算用するのは勝手だ。しかし、われわれ全員がともに生を全的に享受し、繁栄する物質的基盤をいかに創造するか、ということについて考えられないのはなぜか？　そしてこの「ともに」というところの意味はなにか？　その範疇にあるのは誰か？　それも、習慣的にわれわれが見落としているひとびと――少数民族や、二世の子どもたち、移民の家内労働者、中国からの新移民、そして居住の権利を待ち望む本土の者たち――もまた都市の未来に含まれているとしたら？　これらの問いへの答えが、われわれを代表する政府が選出されるときまで後回しにされねばならぬどんな理由があるのか？　この闘争の中でも、今ここでこの議論をうながす前提となるような自律の例はほんとうにいくらでもあるというのに。

――情勢不安に突入しておよそ三ヶ月、公式に共有されていることや暗黙の了解も含めて、この運動のなかにある様々な潮流にとっての目標と戦略とはなんだろうか？

先に述べたように、この時点で闘争の中に暗黙理に意図されているのは「国際社会」なるものの干渉を引き出すまで状況を極限化させるということだ。大衆動員を維持し、国際的なネットワークで拡散されるような心揺さぶるスペクタクルをつくりだすことで、闘争はひとびとの第一の関心でありつづける。たとえば歩道や、最近ではストライキ中の中学校の周りで抗議者たちが手を取り合う「人間の鎖」がそうだ。地下鉄や商業区域や空港のような場所での不服従を続けることで、経済、観光客の移動、国外からの投資といったものへの顕著な効果があると考えられている。抗議者たちが最近あみだした、条文上ひとつも違法行為を行わずに空港へ向かう交通を遮断する方法などもそうだ。同時に、監視に抗する手段の実践も慣れ親しんだものになった。例えば大きなデモの前には、各地域に配置されているＲＦＩＤ〔電磁波による情報の読み解き・書き換えシステム〕が実装された「スマート・ランプ・ポスト」を切り倒すとか、監視カメラにスプレーを吹きかけたりあるいは解体してしまうというような。

これらすべては、香港が世界の中国化に対する闘争の最前線で平衡を保っているという、その現実の直感的な把握に他ならない。それは、ブログ「弁証法的な怠慢者たち」(Dialectical Delinquents) が何年にもわたって入念に描いてきたものだ（この現実の輪郭がどんどん明らかになってゆく様を描いてきた彼らの骨の折れる取り組みには感謝している）。新自由主義は、大衆反乱による重圧を受けながら緩慢に死にゆこうとしている。そのとき、監禁収容所と法的所有制度もどきを完備した権威主義的監視国家の中国的変種だけが、われわれが知る世界を強制力によって統合することができるのだ。こう考えているのはわれわれだけではない。それほど昔ではないが、「弁証法的な怠慢者たち」はファーウェイの重役のインタビューを特集したが、これはとても明快にこのことを理解させてくれるはずだ（4）。

前回のインタビューで語ったように、誰もが新疆のことは頭の片隅に置き続けてきた。新疆の悲惨な事態は、都市全体への監視装置の急速な導入と組み合わさって、闘争にはっきりとした終末的色合いを付け加えた。何度も繰り返されたことだが、勝利か、さもなくば強制収容所送りになるのだ、と。その認識には大筋で同意するものの、これらの装置にあらがう全世界の無数の叛徒たちの接近戦（アガンベン『装置とは何か』）があることに気づかなくてはならない――巨大な悪魔である中国から「自由世界」がわれわれを救い出してくれるとか、中国は全てを賭して除かねばならぬ反キリストだというのは正しくない。それは未来から投げかけられた影であり、崩壊しつつある惑星から姿を現しつつある影なのだ。

中国が西洋世界の観衆たちにとって歓迎すべき目くらましとなっていることは言うまでもない。中国当局の狼藉を弾劾する機会を提供することで、西洋の政府は、自国の民衆を殺したり投獄したりしながらも、自分たちは「人権」を擁護しているのだと誇示できるからだ。

――この運動に内在する緊張と矛盾について話そう。香港の外にいる時、たくさんの抗議者たちがイギリス国旗や星条旗を振りかざし、カエルのペペのミームをシェアし、その他西洋の国家主義のシンボルを用いていると聞いた。運動の内部で、ひとびとがどれほどそのことを認識してきただろうか？　それに抵抗感はなかったのだろうか？

ほとんどの人が数週間前に行われた行動の画像を見たことがあるはずだ。黒装束で身を固めたひとびとがアメリカ大使館に集まり、星条旗を振り、アメリカ国歌を歌い、可及的速やかに香港人権法案を可決するようホワイトハウスに訴えかけたのだ。これは悲劇でもあれば喜劇でもある。ブラックブロックがアメリカの旗を掲げるのは世界広しといえども香港だけだろう(5)。

多くの「旗振り人」は、連中のやり方に向けられた批判を無視しているが、そのことこそが、ホワイトハウスへの継続的な請願を支持するひとびとを特徴づけるものだ。最近アメリカからの同志がわれわれを訪ねてきたのだが、彼は旗振り人に近づいていって、自分たちの政府への侮蔑を表明した。「Fuck The USA!」というひとことから彼は話しはじめ、アメリカ国家機械によって日々犯されている殺人について滔々と語った。このやりとりは学生新聞によって記録され、数時間のうちにFacebookで議論を引き起こすこととなった。そこにつけられたコメントの多くが、「示唆に富む」ものだった。それらのコメントは、アメリカからきた同志を「左翼（プラスチック）（以前のインタビューで説明したとおり、時代遅れの左翼に対する罵倒語）のアメリカ的バリアント」として切り捨て、彼を無知なやつとして責めたてていたのだ。「君は、ほんとうにわれわれがアメリカ愛国者だと思ってるのか？ われわれはただ現実的なだけなんだよ。われわれをほんとうに助けてくれるひとの援助を求めてそうしているだけさ」。星条旗をはためかせてアメリカ国家を歌い、アメリカ的な生活様式への憧れを公然と言いたてることによって、「ほんとうの」アメリカ愛国者の感情に計算づくで呼びかけているのだ、と彼らは言いはっているわけだ（そのような愛国者たちは何人か香港にやって来た。そのなかには、ファシストのオーガナイザーであるジョーイ・ギブソンもいた。彼は、疑うことをしらない抗議者たちとセルフィーを撮ってはしゃいでいた。抗議者は自分たちの主張に好意的に見える、熱心に旗を振るアメリカ人に拍手を送ってとても喜んでいた）。

旗振り人は、旗がたなびくことを批判する者は素朴すぎると主張している。批判者たちは彼らの送っているメッセージが二重のメッセージであることを知らない、というわけだ。九月一一日には、９・１１で命をおとしたひとびとを悼むために、抗議行動を街全体で中止することを要求する者もいた。彼らはアメリカ人の共感を獲得することを目指していた。自分たちは抜け目無く現実の政治を把握しているのだと、まるで役者のように賢く立ち回っているつもりでいる限り、馬鹿を見ているのは彼らのほうだろう。しかし世界の「グレート・パワー」同士の見せかけの綱引きに魅了され続けることを最終的に遮断することができなければ、われわれこそが馬鹿を見ることになるだろう。

西欧からきた友人の多くは、こうした感情が広く闘争に分かちもたれているのかどうか、あるいはこうした西欧への固執は取るに足らない現象なのかどうかを尋ねてくる。こう答えることにしよう。現時点では、中国との関係を少しでももっているものはなんであれ、破壊と冒涜の格好の的だ、と。政府の紋章は破壊され、国旗はポールから降ろされて、川に捨てられる。「中国」と名のつく銀行や保険会社の店内は落書きだらけになる。たとえば、中国生命保険のシャッターは、最近「ナチ中国の人生なんてごめんだ」と落書きされていた。ただ、もしアメリカ的な「イコン」が目につく店を（たとえばわれわれが）同じように攻撃したとすれば、われわれは制止されるかもしれない。

付け加えなければならないのは、抗議に際しては、星条旗だけでなく他のＧ２０の「フレンドリーな」国々——の国旗も目につくということだ。先週は残念なことにウクライナ国旗も登場した。おそらくその旗があらわれたのは広場で『ウィンター・オン・ファイアー——ウクライナ、自由への闘い』の上映会が行われていたからであり、かつそのドキュメンタリーが都合よく無視しているものを誰も知らないからだろう。

他方で、イギリスに対して、ＢＮＯパスポート（ＢＮＯはBritish National Overseasの頭文字で、英国海外市民の意。一九九七年まで香港市民は希望すればこれを受け取ることができた）を香港市民に対して再度交付し、置きざりにした捨て子の責任をとらせようと主張するキャンペーンも続いている。このパスポートは、それをもっているからといってイギリス居住権が与えられるわけでもないし、領事による保護が保証されるわけでもないが、あるひとびとにとっては、死の罠とみなされはじめているこの都市から逃亡する望みを具現化するかのように思えるのだろう。数週間前には「ちょっとした強制収容所に投げ込まれるよりは、西欧国家の二流、三流市民のほうがましだね」と掲示板のスレッドに書きこまれていた。

こうしてみれば、西欧の国旗をはためかせることは、戦略的で巧妙な如才ない行動というよりむしろ、全能の救済者への絶望的で敬虔な祈りのように思える。これは、不安と無邪気——互いを養いつつ、悪化させあう二つのもの——の死に至る混合物なのだ。われわれが全力で戦っているものは、これにほかならない。われわれはつい最近アメリカ人の友人から拡散したくなるような素晴らしいスローガンを受け取った。「ナチ中国 Chinazi と白人至上主義アメリカ Amerikkka——二国一制度」。

——騒乱を通じて、ひとびとの目から見て、いかなる制度や神話の正当性がうしなわれたのか？　いかなる制度や神話が、いまだ正当性を保持し続けているのか、あるいは獲得したのだろうか？　こうした制度や神話を批判するための、あるいは少なくともそれらについての対話をはじめるための試み、その成功ないし挫折について語ることはできるだろうか？

前のインタビューで話したように、社会闘争にはふたつの道があるということが長く信じられてきた。一方には、平和主義的で、市民的で、そして優雅な、主婦や老人、逮捕の危険をおかすことのできないひとでも気軽に参加できるような抗議があり、他方には、好戦的で、衝突しながら前線に参加すること、つまりさまざまな種類の直接行動にかかわることがある。相変わらずこのふたつの道はいまも続いているが、目下の状況がもつ新しさは、その両方がともに違法になったということだ。つまり、政府は抗議への参加をみとめておらず、いかなる集会も、それがいかに無害なものであろうと事実上禁止しているのだ。ただ違法な集会の場面に居合わせたり、その近くにいるだけで、すでに逮捕と拘留の要件が構成されることになる。あなたが地下鉄やバスで家路についていたとして、機動隊が群れとなって車内に闖入し、乗客みなの命を脅かすかどうかや、自警団があなたを警察に密告したり家まで尾行しているかどうかや、はたまた中国マフィアが深夜あなたの住んでいるところで暴れ出すかどうかなど、もはや知る由もない。何らかの形で闘争に関わることで、「秩序」の名のもとに正当化された者によって重傷を負わされ、苦しめられ、殺されるかもしれない身体へとあなたは変えられてしまうのだ。秩序の守護者にとって、われわれは「ゴキブリ」であり、万事がふだん通り進むために駆逐されるべきペストなのだ。

さらに、もしあなたが中国市場との長年にわたる関係を有している企業に勤めているなら、闘争への共感を告白することで職をうしないかねない。注目を浴びたキャセイ・パシフィックのケースを、つまり運動に参加し、警察のフライト情報をリークするのを助けた労働組合のメンバーの一覧表を要求した経営者のことを考えてみれば十分だ。この企業は、従業員のなかにいる〔闘争の〕支持者の徹底的な排除を行っている。これは従業員の中の出世欲にまみれた密告者が主導している。

あなたがつい何ヶ月か前まで数学を教わっていた教師が、あなたの逮捕に協力するかもしれない。校長や学科長は、機動隊があなたやあなたの友人を学校の敷地外で襲ったとしても、ただ突っ立っているだけだ。これが抗議者が急速に慣らされている現実だ。結果的に大人の援助ネットワークがこうした状況に取り組むために急速に形成されている。具体的には、職やシェルター、輸送手段、食料を必要なひとに提供しているのだ。

端的にいえば、予測可能な進捗状況としての未来、達成可能だろうとか妨害を被るだろうといったような計画や、予測が書き込まれた日程表は意味をなさなくなり、われわれは徐々に自発的な地図作成を通じて、現実の時間のうちに描きこまれた生きた地図を参照するようになったのだ。どの駅を避けるべきか、どの道を迂回するべきか、最近どの地域で催涙ガスが使用されているか。日々の生活それ自体が、戦術的な工作の連続となった。具体的にはこうだ。立ち聞きされたり、密告されないように喫茶店や学食で昼飯をとりながら話す際にはみなが注意しなければならなくなった。また、メッセージアプリやSNSですぐには解読されないコードを開発することになった。とりわけおどろくべきなのは、メトロポリスに住むことで得られる小市民的な快適さや便利さ、それぞれ個人的なことをするときの気楽な匿名性を無くてもいいと思うようになったことだ。別の秘密を見出し、保持することが必要となったのだ。

これらを通して、発明や冒険の感覚がわれわれの生活の細部にまで浸透しているということは誰にも否定できないだろう。

――騒乱を中国本土に広げるには何が必要なのだろう？　この運動においてではなく、あるいは将来のその帰結においてであるとしても。あるいは運動そのものの前提がそれを不可能にしているのだろうか？

個人的には、香港が食料や水の大部分を中国に依存しているという純然たる事実にたちむかうことがわれわれには必要だと考える。このことからだけでも、いかなる成功した反乱も、必然的に香港を囲む他地域の「仲間」からの積極的なサポートが必要なことが明らかになる。この実践的な急務は、抽象的な議論よりもすぐに聞き入れられるだろう。ご存知の通り香港人は、イデオロギーについての議論にはほとんど耐えられない。

この点は物議をかもすものだということは記しておかなければならない。邪悪な政治的な協定によって、香港北東部のある農業地帯の大部分を徐々に縮小する――それは外国（あるいは中国本土）の投機対象となり民間の住宅複合体に道を開いている――ということや、広東省からわれわれがとんでもない量の水を輸入しているといった事態がある。われわれのコレクティブの何人かは、こうした従属こそが香港の多くのひとびとを強く怒らせるのだと提起している。つまり、この従属は独立や主権への熱意を弱めるのではなくむしろ強めているのだ。

　必要な次のステップは、香港は例外であるという幻想、こびへつらい無知で洗脳されきった北方の田舎者たちとは対照的な、自由を愛するコスモポリタンたちの住まう自由な世界に通用する無関税港である、というひとびとの夢想を手放すことでなくてはならない。それは陳腐に聞こえるかもしれないが、プロレタリアによる反乱が有する完全な否定性に道を開くためには、「香港的アイデンティティ」からあらゆる積極的な内容——文明、都会性、啓蒙という虚勢のすべて——を取り去らねばならないのだ。それによって、国境をはさんだ両側の政府によって生み出された分裂的な世論の沸騰を決定的に断ちきることができる。この闘争の間、中国で「群体性事件（マス・インシデント）〔大規模な市民的不服従事件は中国政府によってこう呼ばれる〕」による混乱やそれについての報告が発表されるときはいつも、ひとびとはそれに細心の注意を払っているということも言っておかなければならない。

　多くのひとが、「密輸的な」情報を本土へもちこむための通路を工夫して創りだしてきた。中国のアダルトサイトにあるポルノ動画を編集して、香港警察の野蛮な映像を射精の場面に差しかえようとさえしたのだ。これらが想起させてくれるのは、われわれが大好きな古代中国における反乱だ。その反乱のなかでは、餅や菓子に隠された羊皮紙によって、情報が密輸され伝わっていったのであった。

　先にも述べたように、一方には、共産党崩壊後の中国のバルカン化〔ある地域や国家が互いに対立するような小さな地域・国家に分裂すること〕と、それにともなう中国各地域の「独立」と「自治」を達者な口ぶりで主張する者がいる（「自治」のほうが重要だ。「独立」は、その当然の帰結でしかないと思われる）。けれども、他のひとびとにとって結局のところ、よりもっともらしく思えるのは——国境を踏み越えたひとびとが、しばしば全能の羊飼いに監視された迷える羊として想像されることを考慮するならば——香港の主権が国際的な軍事力の脅威によってバックアップされ、香港の運命が中国のそれから切り離されるように国境警備が行われるという望みの方だ。

　危険に満ちた越境を支持しながらイデオロギー的な配列を

解体し、香港の文化的なアイデンティティの基礎を傷つけることは非常に不愉快で不人気な作業だ。ほんとうのことを言えば、われわれにはどうやって大規模にそれを行うことができるのか、ほとんどわからない。というのも、とりわけ中国本土の情報経路はすべて完全な支配に従属しているからだ。本土の友人は、この闘争にかかわる情報を掲示板やSNSで普及させるために骨を折ったが、この情報はしばしばすぐに削除され、彼らのアカウントは即座に停止されてしまった。

この仕事がどれほど気が滅入るものか想像してもらえるだろうか。その仕事が急務であるだけ、困難は増大する。新たに書き下ろされた「香港国歌」を公共空間で歌うために群衆がコーラス隊を結成しはじめているいまはとりわけそうだ。

——ここ数ヶ月で生じた戦術的・技術的発明や、それによって可能となったことについて教えてもらいたい。今後、あなたたちと似た状況に直面するひとびとを思いながら話してくれないか。

これから数年、われわれはこの三ヶ月間に叛徒たちが直面した具体的な問題とそれへの対応の中で生じてきた驚くべき事象をふりかえり、注視し続けることになるだろう。

デモに参加し、緊急事態が宣言されても街頭にとどまったことで両親から「勘当された」ために帰る家のなくなった十代の若者たちに対応すべく、若い参加者たちが一時的に滞在できる空き室のネットワークがつくりだされた。ミニバスやバス、地下鉄が、逃亡する抗議者たちにとってもはや安全ではないということへの対応として、「子どもを学校で拾う」ために車を準備するネットワークがテレグラムを経由して形成された。また、テレグラムの操作方法すら知らないけれども、危険から遠ざかろうとしている抗議者が走っているのを見つめながら、ラジオで報じられる「ホットスポット」のまわりを周回している年配の運転手にもわれわれは出会った。

仕事や食料を買ったりするのに十分な金をもたない前線の若者を支えるために、働いているひとたちがスーパーやレストランのクーポンの供給を準備し、大規模な衝突の前にギア〔デモ用の装備〕に身を包んだひとびとにそれらを手渡していた。この特筆すべき事実をめぐっては、「色の革命」の背後には外国勢力が控えているということを右翼がしばしば示唆している。「だって、このクーポンのためのお金はどっからきているっていうんだ？　資金援助する何者かがいるに違いない！」。彼らは労働者たちが見ず知らずのひとを助けるために身銭を切ることなど理解できないのだ。

直接経験したものであれ生々しい映像配信を通じてであれ、催涙弾や警察暴力に長期間さらされたことに起因する苦痛、トラウマ、不眠に対応するために、サポートネットワークはカウンセリングとケアを提供している。夜を徹して街頭に出ているために宿題をこなす時間が十分にとれない子どもたちのために、無料のチューターサービスを提供するテレグラムのチャンネルがあらわれている。ストライキを打っているために「教育を受けることのできない」学生に対応するために、ひとびとはその主張に共感してくれた学校や、公共空間において、あらゆる種類の政治的主題に関するセミナーを組織している。

その間、ひとびとは抗議者たちが関心をもっている主題を議論するテレグラムのチャットルームをはじめた。われわれもひとつチャットルームを作成した。主題は技術的なもの（いかに地下鉄のきっぷ販売機をぶっ壊すか、金を払わずに改札を突破するか）かもしれないし、歴史的なもの（最近フランス革命に関するものを目にした）かもしれない。またはスピリチュアルなものや、自己防衛や護身術についてかもしれない。

こうした努力のすべては、その寛大さと手際の良さにおいて驚くべきものとなっている。いくつかのアフィニティグループが形成され、火炎瓶をつくって森で試し投げをしている。警察と撃ちあうことを想定しながら森でサバイバルゲームを行い友情や信頼を築いているグループもある。即席の格闘技道場が公園やルーフトップで開催されている。この街のひとびとは最小限の労苦で実践的な問題を解決することに長けているのだ。

この闘争は、それに参加したひとみなに対する教育的な役割を果たしている。それは、現象学的教育とでも言えるだろうが、われわれの住まう都市が闘争の過程を通じてまったく新しい意味を獲得したのだ。あらゆる都市のあらゆる側面が深い戦術的な意味を帯びている。マフィアがよく訪れるのはどの地区なのか知らねばならない。あらゆる曲がり角や袋小路を知ることは、どこでデモから離脱するかを判断する際に重要となる。ここ数ヶ月でわれわれは、自分たちに馴染みのない地域はもちろん、ずっとそこで育ってきたような地域ですら自分たちにとって見知らぬものになっていることに気づいたのだ。それは機動隊の突進から抜けだそうとしている時だとか、自分たちの知らなかった都市の様々な側面に――仕事や生い立ちのおかげで――精通しているひとびとによって共有された話があふれるメッセージボードのスレッドを熟読しているときなどに感じられた。こうしたものを危険地帯や逃亡手段を指示するためにいくつかのチームによって描かれたリアルタイムの地図と考えあわせれば、いかにこの三ヶ月がわれわれの都市を巡る加速度を増した心理地理学的－地図作成的な旅だったのかを理解しはじめることができるだろう。この三ヶ月がもつ価値はこの闘争と来るべき闘争の双方にとって計り知れないほど重要なものなのだ。

もちろん、結局のところ、街頭で起きていることがすべてではない。われわれのコレクティブにも、ストリートファイトが起きている場に居合わせたくないというメンバーはたくさんいる。現場を離れて地図を書いたり、多くのチャンネルからひっきりなしに流れてくるデータの正確さを真摯に検証しながらリアルタイムの情報を提供したりといったひとびとの多大なる貢献は、参加者の身の安全を確保したり、誤ったニュースを排除するのに役立った（メッセージボードのいくつかのアカウントは、いつも誤った情報を定期的に拡散しているのだが、その目的はわからない）。また、ひとびとが街頭の衝突で疲れきった後、それでも集い、よりよい戦術についてオープンかつ友情をもってテレグラム上で議論しあう時間をとったのも非常に有意義なことだった。これこそが計画されたイニシアチブ――地下鉄や空港につづく高速道路や、空港そのものを閉鎖すること――を達成することを可能にしたものなのだ。地下鉄がそうだったように、初期の試みは不安定で成功しなかったのだが、最終的に可能となったのだ。目標を達成する意志は情報のインフラを創造しようとする集合的な決意と連結されねばならないのだ。

——香港の外にいるひとびとは、今回の運動で逮捕されたり拘禁されたひと——とりわけ権威に反抗して——を支援するためになにができるだろうか。また、あなたたちを支援したいという世界中のひとびとに対してのぞむ他のことはあるのだろうか?

近いうちにわれわれは海外の友人と協力するグローバルな連帯行動についての情報を明らかにするつもりだ。乞うご期待!

同時に、あなた方がこの歴史的な瞬間に、中国に関してわれわれが直面している情勢や世界中の監視システムの絶え間ない発展について、自らの手で記事を書いてくれることは大きな支援となるだろう。われわれはこの闘争の物語が、共産党に対するひとりよがりな非難を中心としたものになるのを許すことはできない。党がわれわれにとって侮蔑の対象でしかないとしても、この世界の悪は中国を中心としているなどと夢想してはならない。「自由な世界」に生きる責任感をもった市民と、『一九八四』的な監視員という、あほくさい区別をともなう冷戦の引き写しのような茶番を許すわけにはいかない。これによってわれわれは今まさに要求されているものから目を逸らされることになるのであり、来るべき生からわれわれを引き裂きつづけている一切合切を打ち壊すための計画はその実行を妨げられることになる。

プロレタリア的なからかいの精神を拡散しよう。われわれの知るあらゆる言語でみんなを爆笑させてくれ!

原註

(1) スポンジ手榴弾はゴム弾のようなものだが、約二〇倍大きく、ゴムの代わりに発泡スチロールスポンジが付いている。

(2) トライアドは香港と中国本土で長い歴史を持っている違法組織に関与しているギャング。彼らの系譜は帝政期に清王朝へと反抗した秘密結社にまでさかのぼり、革命的な組織が再度活気を取り戻したケーススタディであるともいえる。

（3）香港の法律では、雇用者はヘルパーに週に一日休みを与えなければならないが、大多数はこの法律の抜け道を見つけ出す。

（4）http://dialectical-delinquents.com/class-struggle-histories-2/hong-kong-trying-to-block-the-road-to-totalitarianism
インタビューでは執筆者が長年に渡る骨の折れる研究を通じて収集した中国の広範な管理ネットワークの様々な具体例を読むことができる。

（5）記事編集者による註——残念なことにこれは正しくない。ブラックブロック的戦術の源流であるドイツでは、「反ドイツ」を掲げる急進左派がアメリカ国旗を持って行進することで有名になった。その行進はブラックブロックの形態をとることがままある。ある帝国から別の帝国に対して救いを求めるという愚かさに国境はない——そして急進的であるということだけではその愚かさに抗することの証左にはならないのだ。

龍脈のピクニック

Picnic of the Long Mai

KID

前回、私たちは１０月中旬に香港を訪れた。そこで現地の友人と過ごすなかで、多くのことを聞き、学んだのであった。そして、私たちはそれに触発されて「香港から放たれた矢」、「香港２０１９——鏡の国の大衆運動あるいは漂移する遊行」、「香港蜂起の教え」を執筆し、インタビュー記事である「蜂起の三ヶ月」を翻訳しもした。これらはブログで公開し、さらにこの号に収めて特集とした。それからまた３ヶ月が経過した。その間に、さまざまな出来事＝事件が生じたのはご存知のとおりだろう。状況は刻々と変化し続けている。それを目撃するために、私たちは年が明けてからふたたび香港を訪れた。今回の記事は、以前の記事やインタビューを補完しつつ、拡張することを意図したものである。形式についてひとこと述べておけば、以下の記事はいわば「日記」として日時が刻印してあり、その日の出来事に触発されたノートが記してある。とはいえ、読み方は自由である。ひとまず目を通してみてほしい。

1月18日

3ヶ月ぶりに香港を訪れる。第一に気づいたのは、昨年の10月に比べて落書きの数が減っていることだった。かつて中央分離帯を一杯にしていた落書きは、白いペンキで上塗りされていた。あるいは、繰りかえし踏まれたことによって霞んでしまった路上の落書きが見えるだけだ。モンコックで香港の友人Nと合流する。近頃、体調がすぐれないらしい。夜通しずっと咳がとまらず眠れないそうだ。住居用の物件は家賃が高すぎて工業用の物件に住むしかないために、その備えつけのエアコンの質が悪いことと、催涙ガスを浴びすぎたことを原因として挙げていた。

軽くお茶したのちに彼と別れてから、友人Cのスペースに宿泊するために帰ると、彼の友人たちがパーティーを開いていた。彼らは、ベビーシッター、OL、美容師だと自己紹介してくれた。酔いがまわってくると、彼らは私たちに広東語を教えようとしてくる。発音は忘れてしまったが、「五大要求」、「欠一不可」、「死黒警」などの広東語だったと思う。蜂起に参加したいので香港へきた、と話すととても喜んでくれた。いまの状況からすれば当然のことだが、「ふつう」のひとも平気で警察に対する怒りを表明している。

Cがパーティーの途中で写真を見せてくれた。彼は毎晩、近所を周って写真を撮っているそうだ。いくつかの写真が目にとまる。滑稽な写真から、胸を打つような写真まで。彼が何度か口にしたのは、「この写真からはストーリーが見える」ということばだった。これが彼のひとつの価値基準なのだろう。Cのスペースには、多くの地域から、さまざまなストーリーをもった人間が訪れる。彼がゲストを心から歓待してくれることと、写真からかいま見えるストーリーを重視することは、ひとつのことなのだろう。

ノート

※私たちは、これまでの思考と、いま起きている出来事とを互いにはかりあわせるべきときが来たと感じてい

る。とはいえ、これは古典的な左翼の「理論と実践の統一」というくだらないお題目のためになされる作業ではない。むしろ、私たちが手もとにある武器を再発見するための作業であり、それを磨きあげるための作業である。あるいは、武器だと思っていたものが、ただのなまくらであったことを思いしるための作業でもある。こうした作業だけが、或る種の下品さをつねに伴わざるをえないルポルタージュにとってのエチカにかなうと考えている。また、以下のノートは、私たちにとっての友人であるあなたが、以下の武器庫からめいめいお気にいりの武器を手にとってもらうためのカタログでもある。このテクストがそれぞれの生の拡充に接続されることを願っている。ガラクタだったら捨ててもらって構わない。そうでなければ、これらの武器のあなた（たち）なりの使用法を私たちにも教えてほしい。私たちにとって、これ以上の喜びはない。

◇私たちは、香港はもちろん地球上で起きている闘争と接続しようと試みてきた。『HAPAX11　闘争の言説』はもちろん、それ以前の号にもいくつかの海外レポートが掲載してある。

◇「都市」を私たちが考えるとき、ひとまず参照点となるのは、東京という特異なメトロポリスである。東京を含めた都市については以下のものを。

・『HAPAX2』HAPAX「われわれはスラムの戦争をつくりだす」、高祖岩三郎「逃散と共鳴り」、とりわけ「逃散とは何か?」の項、Takuni「経験的戦前映像論」

・『HAPAX5』反-都市連盟びわこ支部「都市を終わらせる：資本主義・文化・ミトコンドリア」

・『HAPAX12』山本さつき「よどみと流れ」

1月19日

朝からCがモンコック市街を案内してくれた。日本でもよく知られていることだが、いまの香港では「黄色経済圏」という実験が行われている。今回の蜂起を支持する店舗、企業が「黄色経済圏」、親中国派のそれが「青色経済圏」と呼ばれている。蜂起に参加する学生はもちろん、蜂起を支持するひとびとは、専用のアプリで黄色経済圏の店を探し、そこを利用する。以前の報告で述べたとおり、香港という都市全体が蜂起を成立させているというひとつの証左であろう。たしかに、私たちが昼食をとったフードコートでは、黄色経済圏のレストランがとりわけ繁盛しているように見えた（非常に美味しく安価だったので、理由はそれに限らないかもしれないが）。

１４時からセントラルで大規模な集会が計画されていたために、昼食をとったのちに私たちはメトロへと向かった（メトロとバスが香港の主な交通手段である）。その日は日曜だったので、休みの移民労働者（多くがベビーシッターやハウスキーパーの女性である）たちが街中で敷物を広げてピクニックをしていた。その数の多さに驚いていると、日本から同行した友人Ｗが「セントラルはもっと多いよ」と教えてくれた。それを聞いていたにもかかわらず、実際にセントラルで降りると移民労働者たちの多さにはやはり驚かざるをえなかった。セントラルでは、駅の出口を出てすぐのところからすでに移民労働者たちがピクニックを楽しんでいる。彼女らは、歩道橋や地下駐車場、地下通路などいたるところに敷物を広げて、ビールを飲みつつ、スナックをシェアして楽しんでいる。彼女らにとっては、これが週に一度の楽しみなのだろう。彼女らは、近くの百貨店に入ることはできない。警備員に追いだされるからだ。いくら安価とはいえ、香港の飲み屋に一日中いることはできない。みんなで集まれるような広い部屋に住んでいるわけでもない。それゆえ、選ぶまでもなく、路上が彼女らの場所なのである。集会のために占有許可がとられた道路にも、彼女らは進出していた。大学生だろうか、若者がトラメガでスローガンを叫ぶ。ステッカーを求めて整然と並ぶ集会参加者がそれに応じる。日本でもよく見られるような光景を想像してもらえればいい。その横で彼女らはスマホのスピーカーから音楽を流し、腰をふりながら踊っている。笑い声が道に響く。その日のセントラルで聞こえた笑い声は、彼女らのものだけだった。集会でのスピーチ（ほとんどが広東語だったのでわからなかったとはいえ）や、そこで聴くことができた高名なオペラ歌手の歌よりも、彼女らの笑い声がもっとも印象的であった。

集会については、なにも話すことはない。正直言ってＮに体調難をおしてまで連れて行ってもらって悪かったと思う。

彼はひとしきり集会をくさしたあと、それにも飽きて眠っていた。正直いうと私も途中から寝てしまった。集会のどうしようもなさは世界中どこも一緒である。集会のその後の顛末については、かの周庭氏のTwitterを見ていただければ十分である。今回の集会は、たしかに許可がおりていたものの、その目的は集会後の中国共産党の香港本部への無許可デモである。集会にひとが集まれば、それが解散したあと、デモが自然に発生するに違いない。それを水路づけてデモに仕立てあげる、というのが活動家の戦略であった。しかし、警察もおそらくそのことを知っていたのだろう。集会は突如として中止が宣告され、その数分後には違法集会として催涙ガスが撃ちこまれることとなった。集会がいくらどうしようもないものだったとしても、警察の横暴は絶対に許されないのは当たり前である。

　集会では、星条旗が大量にはためいているのはもちろん、イギリス国旗もはためいている。率直に言えば、ぎょっとした。中国という統治者に否を突きつける集会において、かつての統治者の旗がたなびいている……。集会でオペラ歌手が歌い、その場にいるひとたちはスマホをいじったり、寝はじめるひともいた。その歌に聴きいっていたのは、集会を見下ろす高層ビルのバルコニーでワインを楽しんでいた白人たちだけだった。

　今回の旅で幾度か「９７年」の記憶を耳にした。９７年、香港がイギリスから中国に「返還」される。いくつかのことが思いだされたのかもしれない。イギリスの支配が終わる。「独立」が果たされるはずだった。２０年がたって、なぜまた独立が叫ばれるようなことになっているのか。こんなはずではなかった。蜂起のさなか、みずからのありえた姿が幻視される、９７年の記憶がいまと重なる……。なつかしさのなかで、今度こそ統治そのものからの離脱が浮上してくるのだろう。

　集会を途中で抜けだした私たちは、公園の外に出た。そこにはすでに多くの人々が路上をほんとうの意味で占拠していた。繰りかえすが、許可をとったのは集会だけで、デモは無許可である。しばらくすると、デモは進みだした。しかし、５分ほど歩いたところだろうか、先頭の方が騒がしい。みなパニックになっているようだ。前の人並みが消えて、私たちは先頭に出る。路肩からブラックブロックが、おそらくは「こちらに来い」と必死で私たちに呼びかけている。しかし、Ｎはなぜか逃げようとしない。「なんでみんなこんなにパニックになってるのか分からない」と呟きながら様子を見にいく。すると、放水車のような車両と、大量の警察車両がこちらに向かってくるのが見える。警察官は戦争映画に出てくるような重装備である。しかしその距離はかなり遠く、両者が出会うまでにはしばらく時間がかかりそうだ。Ｎがその場から動かないので、私たちも仕方なくそこに留まる。ブラックブロックたちはすでに逃亡しおおせていたが、デモの群れは完全にちりぢりに分断されてしまった。それゆえ、「路上」ではその後、目立った衝突を目にすることはなかった。そのとき集会が行われていた公園から催涙ガスが流れてきていたのだろう、鼻が刺すように痛くなった。その後、やることのなくなった私たちもメトロへと向かった。その道すがら、移民労働者たちがピクニックを続けているのが見えた。彼女らにもおそらく催涙ガスは流れてきたのだろうし、デモ隊がパニックに陥っていることも見ていただろう。しかし彼女らは、スナックを食べ、音楽をかけ、笑い続けていた。デモ隊がなすすべなく「敗北」したとしても、ピクニックは続く。

その道のプロであるブラックブロックをＮが無視する意味がわからなかったが、その理由は後にＣの話から明らかとなった。帰宅後、Ｃに「今日の集会はどうだった？」と尋ねられた。Ｗは率直に、「拍子抜けだった」と答える。私も同意する。ブラックブロックはすぐに分断され、メトロへと駆けこむだけだった。文句を言うつもりなどさらさらないものの、正直、もう少し暴れるつもりでいたのだ。これを聞いたＣは、手慣れたブラックブロックが捕まってしまったのが理由かもしれない、と教えてくれた。前回もブラックブロックの若さにおどろいたものの、今回はそれが顕著だったように思う。はっきり言って中学にあがりたての「子ども」の目と体格のブラックブロックが、丈の短いＦＩＬＡのジャージに身を包んで走っていく。香港で有名なステッカーのひとつは、中学生のヒューマンチェーンをモチーフにしたものであ

る。ふたりのあいだにはペンが握られている。手を繋ぐのが恥ずかしいのだろう。そのような世代が主力なのだ。

Cはまた恒例の写真撮影に出かけていったのだが、何やら外が騒がしい。Cは帰ってきて、近くで衝突があったことを知らせてくれた。Wが支度を始める。寝間着に着替えていた私も付いていくことにした。現地にいってみると、もう野次馬、救急隊、記者、そして機動隊しかいない。それを見ていても仕方がないので、私たちは近くを見て回ることにした。

衝突のあった大通りからいっぽん中に入ると、怪我をした記者が治療を受けている。地面には血をぬぐったガーゼが散乱している。ブラックブロックはすでに姿を消していたが、ゴミがあたりに散乱している。おそらく、大通りに巨大なゴミ箱を投げこんで交通を遮断しようと試みたのだろう。あたりを散歩していると、大通り沿いに人だかりができていた。ブラックブロックの姿も見える。私たちもそこに行き、様子を見ていた。ぼちぼちとひともひきはじめ、そろそろ帰るかと思った矢先、中年の男性が突然木の板を担いであらわれ、私たちの横を通り、それを突然大通りに投げ捨てた。彼はそ

のあと、すぐに人混みに紛れていった。それから10秒も立たないうちに、鋭い笛の音が響く。横に立っていたブラックブロックが、「逃げろ！」と叫ぶ。それを聞いて咄嗟に走り出したものの、通行人のふりをしてやり過ごすことを決めて止まる。私たちの横を、機動隊と記者の群れが駆け抜けていく。機動隊が過ぎたあと、私たちも小走りでその方向へ向かう。すると、明らかに関係のない女性が壁に押し付けられている。ブラックブロックの若者も捕まったようだ。通りすがりのおじさんたちが「死黒警」と口々に叫ぶ。その叫び声が大きくなり始めたころ、機動隊が青い旗を掲げる。「可武力」。市民はちりぢりになる。警察によって多くのひとがもっていかれたように見える。そしてまた街は静まり返る。近くで店を営むひとが、カートに水とキンパ（韓国風海苔巻き）をのせて道に出てくる。彼は、その場にいた若者たちにそれを配る。私たちも学生に見えたのだろう。キンパをもっていけと言ってくれる。そのままぶらぶら歩いていると、「日本人か」と話しかけられる。そうだ、と答えると、彼は「私は日本が好きだ」と話してくる。すこしことばを交わしたあと、彼は

去っていったが、しばらくしてまた私たちのところに戻ってくる。そして、「君たちは学生を支持しているのか？」と尋ねてくる。もちろんだ、と答えると満面の笑みで頷き、ふたことみこと言ったあと、中国の悪口を言って、こんどはほんとうに帰っていった。

　そのあとまた「日本人か？」と話しかけられる。日本からきた民間のジャーナリストだ。理工大学に入ってから彼が発信していたキャスを見ていたので、その旨を伝えた。「捕まらないようにね」などと話していると、また機動隊が走っていくのがみえる。また別の箇所でブラックブロックが道にゴミ箱をぶちまけたらしい。彼と一緒に走っていく。警察はやはり、道と交通にはうるさい。この騒ぎは1時半すぎまで続いたようだが、疲れた私は友人と帰路についた。

ノート

◇アトミズムとポリス哲学の対立という観点から、この日の集会を思考することができるかもしれない。なぜ集会は弾圧されるほかなかったのか、それは古代のコスモポリタンから学ぶことができるかもしれない。

・『ＨＡＰＡＸ１』ＨＡＰＡＸ「イカタ蜂起のための断章と注釈」
・『ＨＡＰＡＸ２』ＨＡＰＡＸ「われわれはスラムの戦争をつくりだす」（とりわけ「ゾミア」の項）

◇道に関して私たちは思考を重ねてきた。たとえば、モンコックのブラックブロックによるこの晩の試みを「火墜」の実験として捉えることもできるだろう。

・『ＨＡＰＡＸ７』混世博戯党「火墜論」
・『ＨＡＰＡＸ１２』混世博戯党「幼年期への退却」

◇ピクニックについては、おそらく多くのことがまだ思考されねばならない。率直に言えば、私たちの思考はその端緒を見出したにすぎない。端的に「マイナー」性を考えなおすこと、人民や市民といった基本的なカテゴリーを考えなおすことのうちに、手がかりがあるのかもしれない。

・『ＨＡＰＡＸ２』高祖岩三郎「逃散と共鳴り」（とりわけ「ここでちょっと立ち止まろう！」の項を参照）
・『ＨＡＰＡＸ７』ＨＡＰＡＸ「人民たちの反政治」
・『ＨＡＰＡＸ１０』白石嘉治「ニーチェの喃語を聴きとる」

もちろんそのまま応用することはできないとはいえ、私たちが暮らす日本から思考をはじめる手がかりとしては、以下のものを参照のこと。

・『ＨＡＰＡＸ２』友常勉「流動的－下層－労働者」

1月20日

この日は、Ｎの家の近くのおいしい飲茶を食べにいくことになっていた。彼の家の最寄駅へと向かう。その駅の近くには中学校があるのだろう。制服をきた子どもらが多くいる。前日のことを思い出し愕然とする。制服を着ていると、日本の学生となにも変わらない子どものように見えた。逆に言えば、ほんとうは日本の学生だっていつでもブラックブロックになりうるのかもしれない。日本に帰国後、件の民間ジャーナリストのツイッターで、小学生にしか見えない少年少女が逮捕された映像をみた。機動隊に囲まれながらも、顔をあげて堂々と歩いている姿を、忘れることはできない。

飲茶を食べた後、私は友人と別れてひとりＣの家に戻る。掃除してぼーっとしていると、Ｃがかえってくる。「夕飯は

食べたか?」と聞かれたので、まだだと答えると、彼は自分が夕飯を食べてきたにも関わらず再度夕飯に連れ出してくれた。そして夕飯を食べながら、Cは構想中の映画の話をしてくれた。アジア全体を舞台にした三部作である。とりわけ重要な位置を占めるのが、香港と日本であった。「日本を舞台にした三部は、金がかかりそうだからだいぶ先になりそうだね」と話していた。夕食後、彼は写真を撮りに街へと繰り出していった。明日は彼の友人——Cの家に住んでいる亀の飼い主——が朝からやってくるという。

ノート

◇とはいえ、「子ども」を物神化することはできない。子どもが小さい大人でしかないこと、大人が大きな子どもにすぎないことをわきまえておく必要がある。そのうえでなお「子どもになること」については以下を参照のこと。

・『HAPAX2』「ゾミア外伝:鉄牛と及時雨の巻」(とりわけ「ぶんぶん、武器のエコロジー」の項)

1月21日

最終日、Cの友人Tが訪ねてきて目を覚ます。Tは日本語で「おはようございます」と挨拶してくれる。返事した後、二度寝してしまったのだが、ふたたび起きるとCも二度寝しており、Tがひとりバルコニーでタバコを吸っている。私もバルコニーに向かうと、紋切り型の会話をすることになる。どこからきたの、なにしにきたの、いつきたの、いつ帰るの、日本ではなにしてるの? 会話するなかで、1974年生まれの彼は、私が香港の蜂起に共感していることを知り、非常に饒舌に話し始めた。「イギリスは金が儲かればなんでもよかった。1997年まではその意味で自由だった。中国は、しかし支配しようとする。コントロール、コントロール、コントロール。」そして、おもむろにスマホを取りだして、地図アプリを見せてくれる。見せられたのは、香港行政府の建物である。その形をタバコの箱とライターで再現する。それを揺さぶりながら「不安定だろ?」と言う。そして、彼はスマホに指で字を打ち込んでいく。「龍」、「脈」。「知ってるか?」と聞かれる。私は「聞いたことはある。漫画に出てきた」と

答える（「龍脈とは風水用語で大地の気が流れるルートのこと」）。ドライバーとして日々香港の道路を走りまわっている彼はこう続けた。「こんな不安定な建物で龍脈を支配することはできない」。

Tがしてくれた話をWに共有すると、Wは興味深い話を教えてくれた。今回の蜂起を弾圧するにあたって、香港警察がひとを殺している「疑い」が浮上している。もちろんこれは、疑いというより、香港どころか日本においてもツイッターで共有されているような公然の事実である。しかし、あくまでも警察はみとめようとしない。行方不明として処理しようとする。事実をめぐる真理を確定するために、ひとびとが頼ったのは占いである。有名な占い師が霊界と交信をはじめる。その結果、行方不明者たちが霊界に存在していることが判明する。霊界にいるならば、すでにかれらが死んでいることになる。こうして、かれらが殺されていることが「確定」したのである。政治と占いが交差する。もともと占いこそが政治そのものであった。そしていま、統治に抗するものとして、占いが現に再浮上している。イラン革命の折、即座にイランへと向かった哲学者のことが思いだされる。
CとTを加えた4人で最後のランチを食べに行く。そこも黄色経済圏の店であり、壁がグラフィティで彩られていた。その店を後にして、空港行きのバスに乗り込む前にCが言う。「マスクを買った方がいい。新年（春節）で空港は混んでいるから」。武漢で発生したコロナウイルスのことだ。習近平は「断固として蔓延を抑えこめ」と命じたという。しかし、この命令など無視して、ウイルスはヒトからヒトへと、ときには動物を媒介しつつ感染してゆくだろう。同じように、香港の蜂起を抑えこむことはできない。同時に忘れてはならないのが、催涙ガスもデモもまた、ピクニックを抑えこむことはできないということである。

ノート

◇Tは「龍脈」という概念で、私たちが「自然」と名ざしてきたものを語りだしている。そして、私たちの見たピクニックは、龍脈のピクチャー (picture) なのだろう。もちろん香港の友人たちも、すでにこのピクニックに目をむけている。
・『HAPAX12』「蜂起の三ヶ月」をぜひ読んでほしい。
・『HAPAX9 自然』（とりわけ、白石嘉治+ウルトラ・プルースト「自然はピクチャーである」と、無回転R求道者「装置、あるいは文明と訣別するために：「直耕」の思想家・安藤昌益」
◇現在進行形で猛威を振るいつづけているコロナウイルスは、人間たちが慌てふためく「気候危機」をあざ笑うような、「気象」からの解答である。コロナウイルスは、CX500便によって香港から日本にも到来した。蜂起がともに到来せんことを。
・『HAPAX9』鼠研究会「「世界政治」としてのペスト」

私たちの思考は、ここから再び始まる。「何」の問いから「いかにして」の問いのほうへ。

（2020年1月19日）

〈特集2　ファシズム〉

Neo-liberalism and hell of repetition
-For A Non-Sectarian War Machine
Interview with Takashi Sakai

ネオリベラリズムと反復の地獄——ノンセクト的戦争機械のために

酒井 隆史 インタビュー

『自由論』〔青土社〕は二〇〇一年の段階でその後のネオリベラリズムを見事に預言したばかりでなく、いまなおこれを超えるフーコー的政治の洞察はないといえる革命的な書である。これにその後の事態の分析と政治的思考の新たな地平を示す増補を付して『完全版自由論』〔河出書房新社 二〇一九年六月〕が刊行された。酒井隆史氏の個人史とともに、ファシズム的な現在の状況について話を聞いた。

（二〇一九年七月、聞き手＝HAPAX）

——まず個人史的な話をうかがいます。酒井さんのお父さんは教員で共産党員であったそうですね。

父親は中学校の英語教師でしたが、地方の中都市で、ある時期までは、非常に熱意のある共産党員でした。職場でも政治活動においても、徹底したランク・アンド・ファイル（ヒラ）で、偉くなるのは嫌いみたいなひとでした。ヒエラルキーをつくることが、思想的というより体質的に苦手な感じのひとだったんですよね。とにかく、実直で、おひとよしでもありました。当時はああいう小さな町でも、いまから考えれば、共産党の活動が、そのような若いひとの熱意に支えられて活発だったのですね。父親の活動の全盛期は三〇代から四〇代ぐらいでしょうから若いわけです。父親の親友でもあった同僚の党員（おそらくですが）を市議にするというので、これもおそらく教組の仲間たちを中心にあつまって、しばらくは選挙前になると家が選挙事務所みたくなっていました。そのひとは、何期かは当選して、議員をつとめたはずです。あと、父は写真が趣味だったし、なんでも手づくりするのが好きだったから、自分でカンパ箱をつくるんです。「赤旗」の写真ニュースを切り抜いてはりつけていました。「ベトナム戦争終わらず」とか。で、家には帰らないわ、じぶんでカンパにお金をたくさんつぎこむわで、母親とよくケンカをしていました。弟が交通事故にあったときも、長い時間まったく連絡がとれなかったので、親族のあいだでは「秘密会議をやっている」ということになっていました（真偽のほどはわかりません）。父親の同世代のこういう政治的な仲間たちには、とにかく子どもにもきさくでいいひとという印象しかありません。親戚にもうひとり、父親とおなじような経歴の女性がいるのですが、彼女も子どもにもわけへだてなく、えらそうなところがなく、子どもの話にもきちんと耳をかたむけるようなひとでしたし、いまでもそうです。こういうひとがかもしだす雰囲気は、反権威的とかいうとややずれるかもしれませんが、まあそうですよね。大きな問題に立ち向かう姿勢をもちながらさわやかな感じというか、すっくとしていながらくだけた空気というのは、思想性を問わず、戦後にはある種のひとたちがもっていたものだとおもいます。むかしの映画とかTVドラマに、たまにそういうひとがでてきます。たとえば、フジテレビの田宮二郎版『白い巨塔』での山口学演じる里見助教授とか児玉清演じる弁護士なんか、そうですよね。不思議なことに、ああいう雰囲気はいまではだれもだせません（両俳優とも実は保守派というのが、ちょっと悲しいですが）。でもかれらをいまみると、当時のまわりの大人たちの雰囲気をおもいだすんですよね。さらに印象的だったのは、老年の活動家たちですね。ひとり志村喬そっくりなひとがいて、とにかく寡黙なのですが、夏も冬も毎日のように『赤旗』を数束、わが家からとりだしては、自転車で配達していました。わたしも配達については、父親をたまに手伝っていたものですが……。保守的な田舎でしたが、なにか問題が起きて、どこからも相手にしてもらえず、どうにもならないと共産党にうったえてくる。そのうったえに、父親たちは奔走していました。あとで裏切られた、と怒っていたこともありました。民衆への献身は、見返りの乏しいものなのだ（笑）。まあなんというか、宮沢賢治みたいなひとがいっぱいいたという感じです（笑）。そういう雰囲気があるから、これまで共産党が地方選挙で強いのはよくわかっていたし、そういう出世などいっさい望まない献身的な党員にささえられていたというのも実感としてよくわかるんですよね。あれが戦後の日本共産党の最大の強みだったのではないでしょうか。

――お父さんの本の影響もありましたか？

父は地方ではインテリ階層ではあっただろうけど、理屈をいったりすることはまったくなかったんですよ。こういう政治的立場のひとだから、もちろんそのたぐいの本は、ある程度はあります。レーニン著作集とか『資本論』とか。でも読書家ではなかったな、母親と違って。本読んでるところ、あまりみたことないんですよ。すごいアウトドア派でしたからね。もちろん、ニュースとかみながらよく怒るわけです。世界で一番悪いのがニクソンで二番目に悪いのが佐藤（首相）だ、なんてわが家の標語みたいになっていました。でも、こういう分析とか考えを、決して自分の言葉でいうわけではない。党の方針をほとんどおうむがえしだったとおもいます。こういうひとはいるのですよね。正義感が強くて、情熱的、態度において「リベラル」で、子どもに手をあげたりもしないし、寛容で、献身的、でも話しはじめると不破さんはこういっているとか宮本さんはすごいひとだ、とか。上田耕一郎とか金子満広とかが好きだったようですね。金子とか労働者あがりで人気ありましたよね。ああいうひとが好きだったのかな。でも上耕にしても金子にしても、当時からわたしにも魅力的なひとたちにみえていたし、いまでもそうおもいます。かれらのようなひとたちを（同志として）絶対的に信頼して、地道に世のなかを少しでもよくするために行動する。これも、たぶん二〇世紀には、世界のあちこちにみられた光景だったのだとおもいます。共産党にかぎらないことでしょうが……。本といえば、なぜかドイッチャーのトロツキー三部作もありました。敵も勉強しなければ、とおもったのでしょうか。わたしが東京の大学に決まったときも、「トロ」にはに近づくなといわれましたからね。

――六〇年安保の世代ですか？

安保のときにはたぶん二〇代中盤だから、すでに教員で、党員だったんじゃないかな。熊本のどこかでデモをやろうとしたが、なんとかかんとか（日共以外の組織ですかね、おもいだせないのですが）がおじけづいて、どうしようもなかった、と憤慨していたことがありますから。だから一九五〇年代後半に活動をはじめたのかもしれません。父方の系譜（母方もそうなのですが）は、実は日本近代史の「呪われた」反動の系譜（笑）に属していて、親族の葬儀や法事があって、その係累が一堂に介するのを父親はいやがっていましたね。たしかに、その一族が束になってやってくるとほんとに独特なオーラをふりまいていました。でもおもしろいことがあって、一五年ほど前に、父方の祖母が亡くなったときかな。ふだんは会うこともない係累がたくさんきていて、そのなかに三池闘争のさいの第一組合の元闘士がいて、はじっこで黙々と飲んでいるんです。いっぽうには争議のさいに福岡県警のトップだったひとがいたんです。父親のおじさんだったのかな。要するに弾圧された側と弾圧した側が、一堂に会したわけです。「因縁たい」みたいなことを、父親はいっていましたが……。で、父親がよせばいいのにその元県警トップに『暴力の哲学』〔河出書房新社、二〇〇四年〕を贈呈したんですよ。ひやひやしました。その元福岡県警のトップが、本をパラパラめくって、ほう暴力か、あんときは組合も強情でようなかったもん、というようなことを、ぼそっと口にされたのが記憶に残っています。なんのことだろう、ああ、三池闘争のことといっているのか、と。道場（親信）に最後に会ったとき、そのときすでに重度の認知症で動けなくなっていた父親のはなしになったら、それはぜひインタビューしたい、といってくれたのですが、そのとき、本当にそれが実現していたらどんなによかっただろうとおもいましたよ。じぶんではなにも聞けなかったですからね。晩年は失意の人でなぜかは知らないけど――母親はいくつか理由をあげていますが――完全に運動からひいていましたから……。ただ、小泉改革のころですが、ニュースで小泉がでてくると怒っていましたねえ、心から怒っていた。「おろよか人間たい」っていうんですよね、そういうばあい、熊本弁で。「おろよか」とは、だめな、どうしようもない、ぽんこつ、という意味ですが、独特の軽蔑をはらんだニュアンスがあるんですよね。いまではこの地域も、定期的に特定の場所に貼ってあった党のポスターもなくなって久しいです。

――酒井さんは高校時代、どんな本を読んでいたのでしょう。

とにかくむさぼるように読んでいました。でも当時はいわゆる金八先生第二シリーズどまんなかの「荒れた時代」でしょう。それにこんな熊本の田舎なので、マチズモ的反知性主義も強力なのです。ひたすら本の虫などという実情は隠蔽しなければ、学校でやっていけないのです。だから、中学校のはじめのうちはともかく、それ以降から高校にかけては、学校の図書館で本を借りたことはないとおもいます。図書カードが真っ白なことを誇りにしていましたから。でもひそかに近くの市立図書館に毎日のように通って、五冊ぐらい限界いっぱい借りてきて、ほとんど一日で読んでいました。基本的に小説です。読むものがなかったら、それこそ父親の購読していた教育雑誌とか母親の買ってきた婦人雑誌なんかも読んでいたぐらいですから（笑）。あきらかに活字中毒です。いまでもそうですがミステリーが好きで、ＳＦもよく読んでいました。公刊のはじまった、新潮社でしたっけ、筒井康隆の全集をおこづかいでこつこつ集めていましたし。でもいわゆる純文学も、現代のものから古典までよく読んでいました。当時のアクチュアルな小説って、三田誠広とか村上龍とか村上春樹とか、要するに、全共闘世代のものじゃないですか？そこで感性が形成されるわけです。そうなると、たとえ新左翼になることはあっても共産党になることはありえなくなるとおもうのですよ。ましてや民青なんて絶対、ありえない。ただ小学校のころから選挙になると共産党に対する熱がすごくて、負けるとわたしも一週間くらい落ち込むわけです。これは、大学でノンセクト界隈に出入りするようになってからも変わりませんでした。そのなかで信頼できるひとにいっぱい出会いますが、だいたい、社会党に投票するわけです。なぜだろうとおもって（笑）。たしかに、日共はだめだし、民青もだめだけど。共産党が負けると哀しくて苦しい。これは政治性というものもまったくないわけじゃないけど、どっちかというと、親が阪神ファンなもんだからじぶんも根っから阪神ファンになってしまって、むだに悲しい境遇を強いられるというのに近いのでしょうか。まあ阪神の弱い時代のたとえですが……。

――そして早稲田大学に入りますね？

一九八五年入学でしたが、当時はどこに受験にいってもセクトの情宣がすごかったですね。受験会場に入るまでに、アジの喧騒のなかをメットかぶった人たちがビラをガンガン渡していました。最初の年は学習院を受けましたが、いま考えたら革マルだけど、すごかった。あの皇室の学習院がこれか、と仰天しました。早稲田はひさしぶりに全学ストライキを打った八四年の学費闘争の余燼がくすぶっていて、少し倦怠感もあったけど、活発ではあった。それに当時は毎日が学園祭と呼ばれていたように、大学自体の活気もすごくて、無数のサークルがあって、ふだんからあちこちに出店がでていました。わたしは浪人時代に本多勝一をよく読むようになっていましたが――『殺される側の論理』は本当にショックでした――当時、早稲田（だけじゃないんでしょうが）では、本多勝一がすごく人気があったんですよね。ちょうど朝日文庫からかっこいい装幀の一連の著作がではじめたころじゃないかな。生協のベスト3にいつもはいっていました。生協のベスト10とか、いまから考えると知的でしたよね。本多勝一がいつも上位にあって柄谷、蓮實、中沢などのニューアカのスター、それに丸山眞男の新著がでるとずーっとトップなのですよ。丸山眞男の新著の公刊は、この時代でも事件だったんですよね。当時は丸山に関心はありませんでしたが、それはありありと感じました。大学というのはこういうところなのかとおもいました。それでジャーナリズム系のサークルをまわって最初に早稲田ジャーナルというところにいって話をきいたら八号館地下の黒い扉――ノンセクトの拠点です――には近づくなといわれた（もともと早稲田ジャーナルはピースボート系のひとがはじめたらしいのですが、のちに秋の嵐を結成することになる見津毅が引き継いで、結局、ノンセクト系のミニコミになった）。でもその黒い扉をあけてみたら、ジャーナルで話をしたそのひともそこにいたので、びっくり。でも結局、法学部に入ったら――法学部がダメだったら考古学者になろうとおもっていました――司法試験を本気で四年で合格しようと意気込んでいて（アホです）、司法試験予備校みたいなのに通いはじめたので、そのときはサークルには入らなかったけど、とにかく法律の勉強があまりにつまらないんで半年で挫折しました。それにやっぱりものを深く考えることはおもしろいとおもうじゃないですか？　マルクスの『ヘーゲル法哲学批判序説』とかを意味不明ながらも読みはじめると。当時はニューアカブームで、やたらと思想系統の本がでていましたし。それで、こういうあたらしい思想に関心をもって、八号館地下の某サークル（「カンガルークラブ」というんですが）におそるおそる足を踏み入れると、年齢不詳の男性がいるわけです。それがいまでは某大学で法律を教えている笹沼弘志さんなのですが……。

このサークルは八号館地下ということもあって、法学部のひとが多かったのですが、そこで当時、法学部のノンセクトのリーダーみたいな存在だったHさんとも出逢います。「カンガルークラブ」はセクトのフロントサークルではないし、運動にかかわらないノンポリもたくさんいました、というか、そっちのひとのほうが多かったです。ノンセクト系のこういう思想系サークルにはもうひとつ、三号館地下に社会哲学研究会（社哲研）というのもあって、たぶんそっちのほうが長くつづいたし有名だとおもうのですが、わたしたちはあんまり境界なく行き来していました。そうしてノンセクトの人脈にかかわるようになります。いまでは誤解されているところもありますが、ノンセクトとはいろんな課題をもった無党派の戦線の連合体です。ノンセクトと自称することもありません（そのような自称自体がセクト的であるとされていました。これも当時感心した重要な点です。ただ、一度、やっぱり諸セクトとじぶんたちとは区別して存在感をだしたいということ——かどうかは定かではありませんが——で、そのような原則を破って、法学部ノンセクトがそう立て看に書き込んだことがあります。しかし、そのあとの会議でみんな反省して、それ以降は二度とノンセクトを自称することはありませんでした）。だから自治会にかかわるノンセクト（もちろん自治会を支配しているのは二つのセクトですが）でも、学部によって相当に毛色が違いました。法学部のわたしより上の世代には個性の強いひとが多くて、その関与の程度も大きく違うし、ばらんばらんな感じでしたが、Hさんがそれをゆるやかにまとめているって感じでした。Hさんだけじゃないですが、あの時代の運動をおもいだすと、どうしてあの年で、あんな大人のような態度がありえたのか感心していましたし、いまふり返っても感心します。わたしが本当に教えられたのはここなのです。ほかのひとと、そこは少し違っているかもしれません。もちろん、自発的な大衆の運動こそがこの世界を中核から構成しているという信念はあるのですが、実際においては、どちらかというと、わたしは「運動嫌い」というか苦手なんですよね。そういえば『ＨＡＰＡＸ』ニーチェ特集の榎並さんのインタビューを読んで（ああこういう立ち位置はいつもあるのだとおもったのですが）、ジグザグデモとかも論じてはいますが、やっているときは、なんでこういうことやんなきゃいけないのか、疑問でした。当時はまた、往年の伸びやかなジグザグと違って、密集で緊張感もすごかったでしょう。危ないし痛い。ひとからあなどられると、なにを、と燃えるのですが……。多くの戦線にからんで（というか主体性なくあれこれ出入りして）いたときでも、基本的に消極的でした。だから、こういう時代の運動の話は、わたしの任ではないとおもっています。ただ、いまほとんど、この歴史が抹消されつつあって、とにかくだれかがマーキングでもしておく必要があるとおもって、ここでも話しているわけです。『自由論』じゃないですが、乗り越えられるために話をしているのです。

で、話を戻すと、ノンセクトの戦線のなかには当然ながらアナーキーにポエティックな飛躍を志す部分もあって、わたしもそれにはすごく共感するのですが、Hさんはいつも抑制的で、「原則的」なんです。原則っていうのは、ときに抑圧的にもなるのですが、Hさんはそれをちゃんとやさしく説明してくれるのですよね。なぜ原理（研究会）にはある種の実力行使が可能なのかとか、ちゃんとその根拠から説明してくれるんです（笑）。当時、いろいろ経緯があってなかば潜伏的な存在を余儀なくされていたノンセクトが、ふたたび公然と登場したのは、反原理を媒介にしてといわれていました。原理研究会というのは、統一協会そしてその政治部隊として世界中で民衆運動に敵対していた勝共連合の学生組織で、当時、日本の大学に相当食い込んでいたのです。ノンセクトがはっきりと再登場したのは、わたしのかかわる数年前のことです。「嫌いだ原理友の会」というのが、個別戦線を横断する結集軸となったといわれています。わたしがかかわりはじめたときは、「反原理連絡協議会」（反原連とふつう略されていましたから、記憶が違っているかもしれません）と名称を変えていました。「嫌いだ」という感性的な次元に依拠したのでは、排外主義的なものを排除できないというような理由でしたか。ここらへんのことについても、関心のある奇特なひとがいたら、より正確に知っているひとに聞いてほしいとおもいます。当時は、たとえば、われわれが実力行使しても、ほかの学生たちが集まってきて、いっしょに抗議してくれるという局面がよくありました。いまでは考えられませんけど……。当時は、ノンセクトも特定のデモでは黒ヘルかぶっていたのですが、やっぱりとくに最初はいやで。バブル時代の渋谷をですよ、そのどまんなかを、黒ヘルで「ジグる」わけですから。なんか、世間へのあてつけという感覚でもなければやってられないですし、そもそも、あてつけで運動やるの、いやじゃないですか（笑）。そういう疑問を口にだすと、H

さんはやさしく説くんです。これはシンボルだと。かつてはやむをえぬ物理的防御であったけども、それは同時に体制の暴力をあぶりだすシンボルだったのであり、いまでもそうなのだ、と。はっとしましたねえ、いまだにその風景——八号館の門をでてすぐのよく使っていた会議室です——を、鮮明におぼえているぐらいですから。

ノンセクトの思想的バックボーンはさまざまでしたが、先ほどでてきた笹沼弘志さんはアルチュセールとかフーコーのような構造主義以降のフランス思想も独自に読み込みながら（当時はニューアカの憑依したようなひともたくさんいたし、「カラタニアン」といわれていた柄谷行人がどっかで発言したら、それをさっそくおうむ返しするような学生がそれはもうたっくさんいたなかで、それにほとんど左右されず）、それを教育批判、大学批判へと展開していたのですよね。そういえば、この時代のノンセクトのひとつの課題に、人間科学部新設反対というものがありました。そのさいの批判の中軸に、新設学部の目玉であった発達心理学の批判をおいたのも、そのような展開のなかからでてきたのだとおもいます。学習会を重ねて、フーコー的視点も利用しながら発達概念の批判をやって、それで講演会をやったりビラをだしたりしていたわけです。

——そのノンセクト体験が大きかったんですね。

具体的にはたくさんあるのですが、余裕もないし詳細もいえないことが多いので大幅にはしょっていますが、いまならアナキズム的経験といってもいいかもしれませんね。ノンセクト・ラジカルというのとも若干ニュアンスが違うし、ここが大事なところだとおもいます。世界的に「小文字のアナキズム」といわれているものも、日本での文脈では、ノンセクト・ラジカルですよね。さっき「大人」であることに感心したといいましたが、そのひとつがこれです。ノンセクトの諸戦線には、本当に独特なひとがたくさんいて、マルクスから社会民主主義、アナキズム、リベラリズム、あるいは仏教まで、思想的バックボーンも多様だし、その強弱も多様なのです。ところが、そういうみずからの思想的バックボーンを運動の方針に持ち込んで、それで統一しようとすることはだれもしない。たとえば、残念ながら先日亡くなったのですが、Sさんという某新聞でずっと活躍しておられた元活動家のひとがいました。みんなからとても尊敬されていましたし、わたしも尊敬していました。かれは、とにかくだれよりもレーニンを読み込みながらも（ほかにもそういうひとはいましたが）、それを運動の方針に持ち込むようなことはしない。かれは古典的なアジテーションを得意として、それができるようなとき（なんの支障もないようなとき）には最初は「わたくしのようなものが申しわけありません」といったいんぎんな物腰で、でも、だんだんと熱が入りはじめていって、やりはじめると延々と終わらないんですよ。一時間でも二時間でも平気でつづけられたんじゃないかな。一種の芸能的スキルですよね。で、かれがそういうときに「趣味」でやるアジは、IMF＝GATT体制の崩壊が、と、世界情勢から入って学園の現状までおりてくるという、古典的学生運動の、典型的にマルクス＝レーニン主義のものなのです。でも、運動の場面において、そういう発想を持ち込むことはない。ノンセクトの場合、これは全戦線に共通していたとおもいますが、全体の（経済）分析から個別に降りるという分析の方法は拒絶していましたから。

レーニンではなく、マルクスを読み込んでいるひとも多かったです。個別戦線の機関誌に宇野経済学論を連載していたひともいたし、わたしが出入りはじめたころ、なにを勘違いしたのか「新入生なのにエバキン（榎原均の略でバラキンともいう。伝説的なブントの資本論読みの理論家）のことを知っているやつがいるそうじゃないですか」といってきた商学部の活動家の先輩もいたぐらいですから。でも当方はその名前も知らなかったので、がっかりしていました。

いたずらに糾弾をしてはならない、現場主義もよくないというような作風（スタイル）も浸透していました。これは当時の市民運動もふくめて無党派系には拡がっていたのかな、あるいは、Hさんたちの少し上の世代にあたるGさんたちの考えが強いのかな。それも奇特なひとがいたら調べてほしいです。こういう作風の意味もHさんに解説をしてもらいました。現場をたてにとってヒエラルキーをつくらない、なんて本当に重要ですよね。試行錯誤のなかでつくられてきたそういうモラルがいま忘れられて、素朴に現場主義とか糾弾的なものをふりまわすひとたちが増殖してくるのをみると泣けてきます。こういうところはあまり言語化されてきませんでしたが、この時代の運動の遺産として、いちばん重要なことだとおもうのですよね。わたしがグレーバーを大好きなのも、ずっと感じてきたこと、いちばん大事だとおもってきたことが世界の運動においても倫理的支柱であるということを明晰にいってくれていて、しかもそれを全世界的ヴィジョンにまで展開してくれていることがひとつにはあるのです。

実感でいうと、こういう世代に対して、わたしの下の世代からは、ちょっとゆるくなってきました。いろいろ見方はあるとおもいますが、それまでは、そのままふつうに就職しても有能そうなひとも多かったのが(見た目と実際は違うということも、そのあとの幾人かの歴史からいえるのですが)、ドロップアウト的な濃度のほうが強くなってきて、それがやがてだめ連につながっていく。ものすごく歴史、はしょっていますけど(笑)。だめ連とかその周辺にいるひとたちは、運動ではある意味「落ちこぼれ」だったけれども、「まっとうな」人生街道からはずれながら、かえってだれよりも粘り強くなんらかの運動をつづけているひとが多いです。この年になってふり返ったり、あらためてかれらの現在の活動をみると、ちょっと感動します。われわれの世代はちょうど蝶つがいみたいな感じでしょうか。ぺぺ長谷川とかも最初は、かれと高校で同級だった某君が、ボクサーみたいなワイルドなやつを合宿に連れてきたんですよ。それがぺぺだった。当時はツバイと呼ばれていました。上の世代に同名の活動家のひとがいて、その二代目でツバイ、こういうところでドイツ語がでるのが、腐ってもインテリです(笑)。当時は髪がもうもうとライオン丸みたいで、目もギラギラしていた。そのあとに、フリーターユニオンなどでいまも活躍しているUくんなどの世代がつづきます。わたしは大学院なんかにいって、不安定な生活をしていたから、要するに、この近辺と生活が交わっちゃったのです。このだめ連黎明期というのも、その社会的意義はともかく、いろいろなエピソードがあるのですが、ありすぎるので、ここではやめときます。

当時、吉祥寺でヘーゼルナッツというスペースをさっきとはべつのUさんがやっていたのですが、そこにつれていってくれたのが田崎英明さんでした。

――そのころもうフーコーは読んでいたのでしょうか。

さっきHさんがアルチュセールやフーコーを独特に読んで運動に利用していたという話をしましたが、当時は、ニューアカ全盛の空気のなかで、テキストとしてのマルクスはいいけど、マルクシズムはだめみたいな雰囲気がありましたよね。それに反発がありました（だから『自由論』のはじめで、マルクス主義と、主義を強調しているのです）。わたしはマルクスへの関心は一貫していましたし、むかしもいまも、マルクシストである、あるいはその一角にくわえてほしいと考えています。なので、この時代のフランス思想のなかで、フーコーよりはアルチュセールにとくに関心がありました。でも当時は、アルチュセールの訳書がとにかく手に入らなかった。いまみたいにネットで調査もできないですからね。古本屋には、例の合同出版の超読みにくい『資本論を読む』と『共産党のなかでこれ以上起きてはならないこと』のようなパンフ文書しかなくて、信じがたいことに『国家とイデオロギー』もずっと絶版だし古本でもみつからず、『マルクスのために』（当時は『甦るマルクス』ですよね）も、ましてや『レーニンと哲学』とか『科学者のための自然発生的哲学』なんて、早稲田や神田の古本屋でも目にしたこともありませでした。人文書院も福村出版もひどいですよね、いまだに恨んでいます（笑）。わたしだけじゃなくて、けっこうたくさんの学生が渇望していましたよ。だから、近年になって、どんどん新訳で公刊されて、ときには文庫ででてくるじゃないですか。グラムシの論集が新訳で、かつ文庫で読めるなんて、むかしのわれわれからしたら、ほんと夢のようですよ。合同出版からでていたビュシ＝グリュックスマンの『グラムシと国家』なんて、もう分厚いし、よくわかんないし、神秘的ですらありました。でも、かつてのようにそれを実践に即いかしてやろうと、うずうずしていたひとたちは、少なくともあの時代よりは少数になっているであろうとおもうと、複雑な気分です。いずれにしても、やはりマルクシズムが基本線ではあって、それでフーコーなども、それに引きつけながら読むという感じでしょうか。まあ、よくある読み方で、めずらしくもなんともないですが……。

――『自由論』のあとがきのなかの謝辞には笹沼さんと並んで田崎さんの名前が最初にあがっています。

田崎さんは書くとむずかしいけど、話すと明晰じゃないですか。あれは学ばなきゃいけないとおもいました。あんなに高度なことを明晰にいうひとは、ほかに知りません。あと、田崎さんの本の使い方ですね。田崎さんといえば、神田の東京堂ですよね。東京堂の洋書コーナーには掘りだしものがいっぱいあったんです。田崎さんはそこ（だけじゃないとおもいますが）から本を手に入れては、どこのだれが書いたかもわからないような本についてうれしそうに語るわけです。書いた本人よりおもしろく語りますからね。だって、田崎さんから紹介されておもしろそうだと読みはじめると、たいしておもしろくなかったりすることよくありましたから（笑）。田崎さんの、その本の使い方には影響されましたねえ。もともとがドイツ語の本でもフランス語の本でも、英語版があって、そっちのほうが使いやすそうならどんどんそれを使うのですよね。そういうところも影響された。

大学院では最初はルーマンの研究を志していたのです。一年めには、もう寝ながらドイツ語でルーマンを読めるようになって、ついにオレもここまで来たか、と（笑）。それは、なんというか、じぶんの好きなものを専門でやるのはよくないというか、主流に近い（のかどうかわからないですが）ところでおのれを鍛えねばならないというか、そんな気分でやっていたのですが、これも司法試験とおなじで、そういうのって、つづかないですよね。それで二年目になって、本当にやりたいこと、アルチュセールにテーマを変えました。修論はアルチュセールです。当時ジジェクが紹介されはじめていましたが、田崎さんの影響もあって、それ以前から、アルチュセールとラカン派との関係に強く関心を惹きつけられていたんですよね。青弓社からでていた雑誌の『クリティーク』

で田崎さんが翻訳したラクラウの「ポピュリズム的切断」の議論と田崎さんの解説なんて、ものすごく刺激を受けました。それに、アルチュセールのイデオロギー論のラカン派よりの展開といえば、エコールノルマルのアルチュセールの弟子筋の俊英たちによる伝説の同人誌『カイエ・プール・ラナリーゼ』ですよね。そこにジャック＝アラン・ミレールのあの有名な「縫合」論文などが掲載されているはずなのですが、それが東大にしかなくて、でかけていってコピーして読みました。修論では、アルチュセール派の言語学者のミシェル・ペシューにかなり焦点をあてていますが、このひとについても田崎さん経由で知ったんじゃないかな。そこから、アルチュセール＝ラカンの路線にあったころのカイエ・ドゥ・シネマ系の映像論にこりはじめるのです。『自由論』でラカンのまなざし論とかがあるのは、それを二年くらいやった賜物です。『通天閣』（青土社、二〇一一年）でも映画の分析をやっていますが、それもたぶんあの時代の蓄積のおかげです。修士論文はそういうわけで、未熟すぎる試みではありましたが、ラカンとアルチュセールのはざまでイデオロギー論を再構築しようとしたのです。

しかしそこでも行き詰まって、こういう理論でするするいくのも、というか、なんというのか、とにかく違うな、とおもっていたのです。いまでいうと「ハイセオリー」への嫌悪感というか、倦怠感がどこかにあったのですね。そんなときに、大学院に進学しておられた笹沼さんからまたもや、こういうフーコーの読み方もあるんだよと、これは法学系のひとだからこそだとおもいますが、フランソワ・エヴァルドを紹介してくれたんです。一読したら目からうろこでした。ああ、フーコーって実はこういうことといっていたんだ、という感じでした。日本では「ノルム」は大事な概念だとおもわれていなくて、規範、正常などとさまざまな訳語を与えられているのですが、それがフーコーの思想体系のなかでどのような意味をもっているのかもみえなくなってしまっているのです。もともと法学部ということもあって、どこかしら法律志向もあったので（たいしたことはないのですが）、そこにフーコーへのじぶんなりのアクセスがガーッとひらけてきたのです。その前提には、田崎さんの影響で、セクシュアリティ論の文脈からフーコーを読んでいたこともありました。でも、そこではじめて、独自の拡がりがみえてきたんです。そこからはじめた研究の方向性でもって、それまでのアルチュセールと精神分析というラインをいわば総括したのが『自由論』のなかの「敵対の転位」です。これが『現代思想』にはじめて書いた論文〔青土社、一九九六年一二月号〕なのですが、『現代思想』に書くきっかけは『批評空間』での翻訳です。田崎さんの紹介で、レオ・ベルサーニの「直腸は墓場か」という論文を翻訳しました〔『批評空間』第二期八号、太田出版、一九九六年〕。当時のエイズアクティヴィズムを背景にしたクイア理論の古典ですが、当然、ビギナーにはやたらとむずかしかった。わからない箇所をピックアップして、キース・ヴィンセントさんを訪ねていったことをおぼえています。そのあと、当時『現代思想』編集長の池上善彦さんがそれを読んでくれていて、「あれやっていたね、じゃあこれやってくれな」と、なんかの翻訳をたのまれて〔クイア研究系だったとおもいますが、おぼえてない〕、それが終わったら、さっそくつぎは「そろそろ書かない？　ジジェク特集あるよ」と。そういうわけで、「敵対の転位」を書いたのです。

――それを起点に後で『自由論』に収録された目覚ましい論文が書かれていく。

いえいえ。でもなんでしょうね。ネオリベラリズムというテーマが輪郭を形成するきっかけのひとつは、「オレはなにを研究したらいいんだろう」とぺぺ長谷川にいったときに、「運動のためにやってください」といわれたことがありますね。当時、ネオリベラリズムは、なんとなくもう終わったものという雰囲気がありました。中曽根行革、臨教審、国鉄分割民営化などの風圧が一段落して、ネオリベラリズムはもう終わったという感じでした。でも運動のなかでは、ネオリベラリズムに抗するというのはそれなりになかったわけではないのです。とくにサパティスタとの連帯のなかで、ネオリベラリズムというものが世界的な問題であるということはいわれていましたから。ただそれは、日本の知的世界のなかでは非常にマイナーだったとおもいます。たとえば、この時代、柄谷行人はハイエクとマルクスを並べて「民営化」と解放とを等値していたじゃないですか。あの柄谷にしてこれ、というか、世界の民衆運動や左派の課題とは、ズレまくっていたのです。それに、その文脈でもありますが、日本ではかなりの「左派」のひとでも、もう貧困問題は終わった、階級の問題は終わったといっていましたから。でもここでやはりいっておかねばならないのは、道場たちの試みですね。九〇年代には、湾岸戦争やＰＫＯをきっかけに、あきらかにこれまでの保革言説とは異なる、あたらしい、いまに通ずる言説があらわれはじめました。その中心が小沢一郎でした。このあたらしさは、左派に混乱をもたらしましたし、いまでも混乱をもたらしているというか、小沢にしてやられて、みずから壊滅しているのが情けないというか、なんというか。それにいちはやく対応して、小沢一郎とはなんなのかを分析しようとしたのが、道場や笹沼さんの周辺の憲法学の研究者たちで、かれらは「新自由主義」批判というかたちでそのフレームをつくろうとしていました。わたしの関心とは少しずれてはいるのですが、そういう背景もあって、いろいろな事象をネオリベラリズムという観点からみてみると全部つながってくる。これはいま現在のことにほかならない、ということがみえてきたのです。日本ではなかなかみえてこなかったけど、海外のフーコー研究においてはもちろん、アウトノミスト系マルクシストのなかでも重要な課題として議論されていることがみえてきました。

『自由論』第一章の「〈運動〉以降」という文章は『現代思想』に二回目に書いた論文〔一九九七年五月号〕ですが、これがじぶんなりにネオリベラリズムを分節する過渡期になったものです。「ストリート・カルチャー」という特集に掲載したものです。これも少しふれておきたいのですが、これのどこがストリート・カルチャーなのか、とおもうひとも多いでしょう。でもこの前の号の予告では「新しい天使」という特集タイトル（もちろんベンヤミンの公刊されざる雑誌のタイトルですが、直接的には当時、小倉虫太郎さんと究極Ｑ太郎さんがだしていた同人誌のタイトルから来ています）で、サブタイトルには「運動」という文言があったように記憶しています。もともと、池上さんはだめ連的なものを中心とするあたらしい運動的ネットワークを特集したかったのですが――池上さんはとにかくフットワークが軽くて、当時、どこにでも神出鬼没だったんですよね――、それは結局実現しなくて、この特集タイトルになったという事情があった（これも不正確かもしれません）。だから、特集タイトルと中身に少し齟齬があるのです。いまでもおぼえているのは、特集をつくるにあたって、ヘーゼルナッツで会議をやったことです。こんな「身内」でかためていいのか、日本中におもしろいことをやっているひとがいるはずで、そこに広げなくていいのか、という疑義がでました。それに対して、ぺぺが「いや、ここにいるだけ（ですべて）かもしれませんよ」といったのです。もちろん半ば冗談なのですが、ああ、手近でやるだけでも普遍性を獲得できることもあるのだな、とあのとき印象づけられました。

――この『現代思想』の特集は衝撃的でした。ヴィルノの訳も掲載されていてアウトノミアとだめ連などを関連付けたのも画期的でした。

フーコー系の言説もそうだしドゥルーズはもちろん、アウトノミストたちも、一九六八年を起点にして分析するというのが、スタンダードでした。それをわたしは、粉川哲夫さんに学んでいたのです。でも、そういう見方をしているのは、こんなにドゥルーズが読まれているのに、粉川さん以外には知りませんでした。なんか六八年の思想が、日本で「ニューアカ」となったら、なんとなくヌーヴォーフィロゾフ的に、つまり六八年の否定として機能していましたよね。このような文脈のズレは、いまの日本の知的状況に大きなダメージを与えつづけているとおもいます。でも、こういう見方を導入しなければいけないということがわたしは実感としてよくわかるから、要するに、津村喬のテキストとか読めばじぶんたちが考えていたこととほとんどおなじことが書かれているし、一九八〇年代ノンセクトが血肉化していたものが六八年的なものだと感じてはいたので、それをぶつけてみたんです。

矢部（史郎）と山の手（緑）が高円寺ネグリ派と自称して

いたように、一九八〇年代のある潮流の一部にとって、アウトノミアとネグリというのは強い関心の対象だったんですよね。でもいかんせん、情報がない。手がかりになるのは『インパクション』の特集やわずかにネグリが翻訳されている『現代思想』とか、もちろん粉川さんの本とか。でも決定的なのは丹生谷貴志さんの訳したガタリとの共著の『自由の新たな空間』ですよね。すばらしい訳文だったとおもいます。たとえば、早大ノンセクトのなかでも、上の世代の一部は、英訳で『マルクスを超えるマルクス』の読書会をはじめようとしていたんです。学部生ですよ。それくらい渇望があった。そして、この時代、マイケル・ハートのようなひともあらわれ、アウトノミストたちが世界的に影響力をもちはじめていて、情報にアクセスしやすくなってきていました。そこで、そういう一九八〇年代の経験の借りを返して、いまのわれわれに折り返すようなつもりで、このテキストを書いたのです。これでじぶんとしても、いろんなものがつながってみえてきました。

——『自由論』の刊行は二〇〇一年の五月、その二ヶ月後が早稲田の地下部室闘争です。矢部・山の手の『無産大衆神髄』は同じ年の三月に刊行されています。

二〇〇一年は、九・一一もふくめていろいろありました。そのなかで、身近なところでも、地下部室闘争はきびしい闘いでありました。昂揚もあったけど敗北は手痛かった。というか、もう敗北はみえてはいたのですが、その過程で起きたさまざまなことがきびしかったです。大学自体がなんらかのかたちで可能性をはらむ場でありえた時代の終わる画期です。一九九〇年代から廃寮攻撃、部室撤廃攻撃といろいろなかたちですすんできて、早稲田の地下部室撤廃も駒寮撤廃と並行していますが、早稲田の闘争がやはり画期だったとはおもいます。最初はおどろいたし、ずっと心が痛かったのは、大学内の気質の変化です。職員の活動家に対する態度がわれわれのときとまったく違う。事務方の教員や学生への態度も変わるし、教員の学生に対する態度も変わる。たとえば、西原というこのあいだ亡くなりましたけど、八〇年代に総長だった人物の息子である、岩波系の憲法学者がいました。この人物が、この問題にかかわる学生のステッカーを剥がしてまわっているのです。憲法学者、しかも岩波系の護憲派ともくされている学者が、ですよ。信じがたい光景ですが、こういう出来事が山のようにありました。この人物は、のちにこのときのふるまいをふり返って、「自由を行使できない者に自由は与えられない」と、奴隷解放に反対する奴隷主みたいなことをいい放ちました。最近、「京都大学新聞」に書きましたが、このようなひとがあらわれた時点で、そしてそれにちゃんと対抗できなかった時点で、もう大学も「護憲」も終わっているのです。くり返しますが、なにか少しでも状況が動けば、この社会では、護憲派の憲法学者が学生のステッカーを剥がしてまわることができるのです。日本は、これからなんでも起きうるのだ、という陰鬱な予感が生まれてきたのだとおもいます。

わたし自身、地下部室の八号館地下管理委員会の委員長を二年ほどやっていましたから、それが維持されてきたのにどのような過程があったのか、どのような交渉があったのかはわかっているつもりです。おそらくこの西原のようなひとたちは、いっさいそういうことは知ろうともしないでしょう。知っていたら「自由を行使できない……」などということはできないはずですから。でも、いうまでもないでしょうが、こういう非正規の交渉で積み上げられた「権限」というものには、確約などというものはありません。いつでもむこうの都合でなんとでもできるというふうにしか、むこうは交渉しませんから。というか、「交渉」ともみなされてませんからね。

ところで、明石書店からでている『ＬＥＦＴ　ＡＬＯＮＥ』という本のなかで書かれていることに少し反論しておきたいとおもいます。そこでは、われわれがその闘争の過程でつくったネットワークとその行動が「ベ平連的」だといわれています。そこでいわれる「ベ平連」という意味づけもわたしは共有しませんが、そこには有名人志向というようなニュアンスがありました。でもわれわれとしては、あえていえばそういう「有名人志向」がいやで、それをはじめたのです。つまり、地下部室撤廃の動きがではじめて、やがて運動のなかでじぶんも呼ばれて話をするという局面がありましたが、そういう、どうしても「えらそうになる」構図がいやだったのです。じぶんも当事者なんですから。だから、われわれも当事者であるという意味で、独自の戦線をつくる、そしてそのなかで、大学を構成する当事者とはだれかという範囲も変えていきたいとおもったのです。そこには教員やOB・OG、さらには学生でもないけれど、その場所を大切に使っている、そういうひとたち――かなりいたのですよ――もふくめて当事者である、と。この時期、運動を排除するやり方として「学外者」という言葉もありました。とにかく学生でも教員でも、反対している人間には、事務員も教員も「学外者」と罵声を浴びせ、それでときに実力で排除するのです。独特のアクセントがあるのですよね。「がーくがーいしゃー」みたいに、小ばかにしたような。まさにレイシズム（あるいはファシズムでもいいのですが）の心性と構造そのものなのです。そういう構造自体を解体しなければならないという問題意識もありました。われわれは運動において、なんかこういうふり返りをすること自体を忌避する傾向があって、いわれっぱなしになることが多いので、ここで最小限のことはいっておきます。

　この闘争は、われわれがおもっている以上に運動が大衆化して、最後は大きくふくらみました。でも、くり返しになりますが、本当につらかったのは、学内の気風そのものが変わっていくことでした。たとえば公安を導入するとか、そういうことも平然と職員がいうようになるとか……。運動参加者にずっとビデオをまわしている職員にだれかが怒って、公安にみせてるんじゃないだろうな、といいました。すると、その職員は、「みーせてーるよー」みたいにこれも小ばかにしたように返しました。この陰湿さです。若いノンセクトの活動家は、われわれの時代とはまったく違って、すさまじい抑圧や敵意を日常的にくらっているので、本当にかわいそうでした。この時点で、日本は深部からなにかが決壊しているのですよ。もちろん、そのなかでもおもしろいことはいろいろありました。ダンス・パーティーだったりとか。でもそれもこれも、なんの埋め合わせにもならなかったのです。

　でも、運動史的にいろいろ語られなきゃいけないことはあります。たとえば、駒寮生も京大のひとたちも外にアピールしないからその意義があんまり継承されていないですけど、駒寮は非常におもしろい闘争を展開していました。排除されたあとに、巨大なテントをつくって、そこをカフェにしていたんです。そこに、教員ふくめいろんなひとがやってきて、いろんな交流をしていました。その渦中にあった某君が、こんどは京大で院生になって、一時期、百万遍が、いままた立て看は撤廃されましたけど、それ以前にバリアフリーという名目で改修工事されるときに、立て看も同時に撤廃されようとしたことがあったんです。そこで、百万遍のいちばん目立つ場所を占拠して石垣カフェと称して闘争をやったのですが、その中心のひとりがその某君で、このアイデアは駒寮の経験からきているといっていました。

――九〇年代はポスコロとカルスタ、その上で『批評空間』が睨みをきかせているという時代でしたが、酒井さんや矢部さんたちはそうでない階級闘争の時代をさきがけていた。

池上さんと当時、よく話していたんですよね。「なんでカルスタ、ポスコロとネオリベラリズム批判とはこう交わらないのか」。ずっとジレンマでしたが、その状況にはあまり変化がなかったようにおもいます。いま日本ではある意味、世界に逆行して左派が怒濤のように「リベラル化」しているじゃないですか？「エキストリーム・センター」の時代が終わったというのが世界では共通認識として、日本ではなぜか「エキストリーム・センター」化ばかりすすんでいるような。なんか最近、「リベラルなのに」という枕詞が流行っていますよね。リベラルなのに皇室賛美、とか。でも、だいたいのばあいは、「リベラルだから」といったほうが正確なのだとおもいます。「左翼なのに皇室賛美」だったら、かなり背反していますよ。でも歴史的にみて、リベラルと王室に本質的な背反の関係なんかありませんし、そもそもリベラルを自称する日本の知識人でこれまで天皇制に批判的だったひとがどれほどいるのでしょうか。リベラリズムは左翼とイコールではないし、ましてやコミュニストでもアナキストでもないのです。こういうふうに、みずからの立場性に深くかかわる大事なタームですら時勢にあわせて内容がコロコロ変わるというのはよくないですよね。要するに、左翼がリベラル化しているから、皇室賛美するのでしょう。このようななかで、日本のポスコロっていつのまにかリベラルにカテゴライズされるような立場になってませんか？　フランツ・ファノンなんていっているひと、まだいるんでしょうか。サブさん（高祖岩三郎）にきいたら、ポスコロがリベラルなんて（アメリカじゃ）ありえないっていうんだけど、日本ではなんとなくそうなってませんか？　結局、ネオリベラリズム論とも資本主義論とも交わることがなく、カルチュラル・ポリティクスに集中する傾向が強かったようにおもいます。もちろん、かれらも、格差や自己責任みたいなものの批判はします。でも格差という把握そのものが問題であるということをおいても、なかなか深められなかったようにみえます。たとえば、ピーター・ホルワードの『絶対的にポストコロニアル』みたいな作業はあらわれませんでしたし。

――『完全版自由論』は増補でシュミットとハイエクの同時発生性の考察が付け加えられています。

増補部分の「統治、内戦、真理」でもいっていますが、わたしはプーランツァスとかグラムシなどのマルクス派の国家論に親しんでいて、ステュアート・ホールなんかも、カルスタのそれというよりは、むしろマルクス派国家論というところから関心をもちはじめました。いまだに翻訳がありませんが、『危機を取り締まる』なんてほんとうにいい本です。危機と階級闘争とレイシズムが重なりあって、そのなかから権威主義的なポピュリズムが台頭してくるというような分析って、ほんとうにいまでも生々しいじゃないですか。そういう問題意識があってフーコーのかたや統治性論があってネオリベラリズムの議論がある、と。で、もういっぽうではもちろんネグリたちアウトノミストのマルクシスト的な分析も背景にはあって、それでアルチュセール派の限界を超えられるのではないか、と。いまは消費の時代、コンセンサスの時代、暴力なんて後景に退いた時代というようなことが流布した発想に乗れなかったのは、もちろん、運動的なリアリティがあったからですが、いっぽうで、当時はブラック・ミュージック、なかでも絶頂期にあったヒップホップにイカれていたということがあります。で、ラッパーたちが描写している世界はまさに内戦じゃないですか。そこに、マイク・デイヴィスみたいなひとがでてきて、LAギャングの「内々ゲバ」の和解に立ち会ったりして、その内戦を内側から報告してくれるし、分析してくれる。その迫力は、おそらくわたしだけじゃなく、当時、世界を震撼させたとおもいます。フレデリック・ジェイムソンなんか、こうポストモダンな都市論でちょっとぬるくやっていたら、背後からコーンとやられてあわてたわけでしょう。勝手な想像ですが、たぶん（笑）。ジェイムソンはともかく、マイク・デイヴィスのあとでは、少なくともエドワード・ソジャなんて薄味すぎて読めたものではありません。

そういう文脈があって、フーコーの統治性論を、なんというかむりやりというか、このような緊急状態、例外状態、内戦論にぶつけてみるということになったわけです。ネオリベラリズムって、やっぱりそういうリアリティがありましたからね。破壊的にやってきて、警察力を強化して、組合の闘争とかを「既得権益」とレッテルばりしてぶちこわし、市場原理としての競争構造をあらゆる領域に導入してくる。それはわれわれが中曽根時代にみたことであるし、世界のあちこちで起きていたことだから。その原則的なある種のマルクス主義的な分析のイメージを、フーコーの議論のうちに、いつも意識しながら読み込むようにしていたのです。それはいまかしらみると、ネオリベラリズムの権威主義的な側面を非常に押しだすような分析になっていて、ここがわれながら、いまでも（笑）。統治性研究ってポスト・アルチュセール的側面があるのですが、そこでマルクスから離れすぎるとやっぱりちょっとぬるい。増補部分で批判していますが、統治性研究がフーコーに対してとるスタンスにも問題があるとおもいます。もちろん、会計文化研究とか刑事司法研究の分野などで参考にできるものもありますが、そうした個別領域性を超えて納得できるものがそんなにないんですよ。たぶん、いまからならいえますが、統治性というフレーム自体が問題なのだとおもいます。だから、それに対して、どちらかというとマルクス派的なリアリティというか、そういう分析枠、フレームをぶつけてみるというかたちで当時はやっていたのです。くり返すと、世界的に「エキストリーム・センター」といわれるような、ブレアからはじまったような中道路線、左派ネオリベラリズム路線が、オバマ、メルケルあたりまでつづいてきたわけですけれども、その時代は決定的に終わった。で、なにが台頭してくるかというと、露骨な権威主義的ポピュリズムです。マクロンのイエロー・ベストへの弾圧には権威主義的要素が浮上していますが、まぁもっと露骨なのはそれこそボルソナーロとかトランプ、安倍、もちろん維新。あともうトルコ、ラテンアメリカ。習近平。

二〇〇一年から現在までは、ほんとぜんぜん怠けていたのですが、そのあいだにネオリベラリズム研究も進展して、その歴史的掘り起こしも進んできています。「統治、内戦、真理」でも紹介しているように、ミノウスキらによるモンペルラン・ソサイエティの研究は画期でしたね。そんななかで、シュミットとハイエクの近さとがはっきりと自覚されるようになりました。増補部分のくり返しになりますが、読んでないひとも多いでしょうから、反復しておきます。当初、ナチスに懐疑的だったドイツの資本家や経営者層をナチス支持に変えた契機のひとつが、一九三二年一一月にシュミットが一五〇〇人の重工業企業家を前におこなった講演であるといわれています。シュミットはヒトラーではなく、当時の首相であるパーペンを擁護しようとしたのですが、そのパーペンこそ、ヒトラーの政権獲得に手を貸したワイマール末期の政治家です。いずれにしても、シュミットはヒトラーの政権獲得のあとにナチス支持に転じるのですから、親和性はあったわけです。シュミットの講演は、ひとことでいって、健全な市場経済を強力な国家によって支えよう、という主旨です。ところが現状は、労働組合を筆頭に、経済的諸利害、諸集団にからめとられている。これはかれにいわせれば、悪い「全体国家」ということになります。それに対し、よい「全体国家」とは、経済から撤退して、強力な軍事的手段と大衆操作の手段によって統治するものである、たとえば労働組合のような組織を「切除」するには、権威主義的な強い国家が必要である、というわけです。このシュミットのヴィジョンをヘラーは「権威主義的リベラリズム」と名づけました。そして、あらためてネオリベラリズムの現代的展開にかんして、このヘラーの分析が注目されているのです。というのも、ワイマール期にはオルドリベラルたちも、まったくおなじふうに考えていましたし、ハイエクもこのシュミットの分析には影響を受けていました。このような文脈があって、オルドリベラルのなかから（亡命者もいましたが）、ナチスにみずから参加した人間もあらわれたのです。『自由論』でハイエクとシュミットを敵対関係にあるとしたのは、したがって修正が必要なのです。双方ともに、市場経済を破壊的である集団的諸利益から切り離して、市場経済に競争的秩序をふきこんで、そのポテンシャルを解放しなければならない、そのためには国家の強圧的介入は必要である、というわけです。ここで、ファシズム的ですらある権威主義的国家とネオリベラリズムがむすびつくわけです。ネオリベラリズムは、基本的に権威主義的要素ときわめて親和的なのです。たとえば日本ではときどき、いまだに安倍はネオリベラルじゃないと左派のひとがいったりします。あんな右翼がなんでネオリベラルなんだ、というのです。ですが、それはまったくのまちがいなのです。ネオリベラルというものはどんな独裁政権とでもむすびつくし、左翼の「全体主義」を批判しながら、同時に、そのような「ファシズム」に近接した体制をいともかんたんに擁護できるのであって、そのような理論装置をもっているのです。それをきちんと分析していかなきゃいけません。

――ふつう、ピノチェトがネオリベのはじまりだといわれるけれど、ピノチェト以前の三二年にシュミット・ハイエク体制みたいなものが要素としてあったと。

あったわけです。オルドリベラルの隠された暗いルーツです。増補部分でふれましたが、ネオリベラリズムの系譜学を権威主義的リベラリズムという視点でくくった、グレゴワール・シャマユーの著作（『統治不能社会――権威主義的リベラリズムの系譜学』Grégoire Chamayou, 2018, *La Société* ingouvernable : une généalogie du libéralisme autoritaire, la Fabrique）には、わたしも本当に共感しました。さすが、ラ・ファブリックですよね。

――左派はこれに対抗できませんでした。

総体的にいえば、まさに文庫版の帯がいってくれていますよね。「このくり返しの地獄から、抜けでることができるのか――？」。これは日本だけじゃなくて、世界的にみんながもう地獄のループにはまっているのです。運動が強くなって左派の政権ができる。ギリシャがいちばん典型ですけど。でも、世界資本主義の構造のなかで、結局、ネオリベ政策の範囲でしか動けない、と。そうすると、その失望と不満をすくい上げるかたちで、さらに極右が強化されていく。もう、このくり返しですからね。この三〇年くらいはネオリベラルの構築した地獄の世界を抜けだせなくなっているというような状況がある。

――ネオリベラリズムはシュミット・ハイエクが第一段階、ピノチェトが第二段階、サッチャー、レーガンが第三段階、湾岸・イラクが第四段階。ぜんぶ軍事的なわけですよね。

危機の思想であり、かつ、反革命の思想ですし。これはけっきょく究極の答えみたいになるので、あんまり最初に持ちだしてもしょうがないっていうのはあるのですけど、基本的に、現在のような代表制をとるかぎりは、この悪夢的なループからは抜けだせないとおもいますよ。これもよくいわれることですが、二〇世紀後半が例外的だっただけで、このときにのみ、デモクラシーと資本主義が代表制を介してつながるようにみえたのです。いまの代表制の構造をとるかぎり、ネオリベラリズムの地獄を抜けだすことはできない。でも、もちろん、世界の民衆運動は、それを乗り越えようとする模索をつづけてきているわけだし、アッセンブリーの組織化というのも、その方向性をめざしているのですが、ここでもちろん、そうした試みも国家の現前につねに直面することになります。それを突破してどうするかとなると、いまたぶん、ほとんどだれもいえてないし、実践的にも、ロジャヴァのアナキズム連邦のような試みもあって、わたしたちは勇気づけられているし、そこから汲みとるべきものはたくさんあるわけですが、やはりいまの世界情勢のなかでその持続と発展は危うくなっています。もちろん、なにかをこの先にもたらすべく、そういう経験の蓄積がいま各地でおこなわれているということかもしれませんが……。だから、なんだかんだいっていまの構造のなかでなんとかオルタナティヴを探そうとすると、たとえば、サンダースだコービンだと代表制のなかでの相対的に社会主義的な政治家を盛り上げようとすることになる。もちろん、じぶんだってその枠内だったら、かれらを応援します。でも、もしうまく議会に送り込めたとしても、おそらくまた、このループにおちいってしまうだろう。シリザ(ギリシャの急進左派連合。改良主義)のジレンマですよね。

でも、少なくとも、だからこそ、future is unwrittenじゃないですが、こういうパンクの精神(笑)をもって、こうした経験を蓄積して、さまざまのレベルで分析し、構想していかねばならないとおもいます。短期の展望と同時に中期、長期の展望をいつも念頭におきながら、左派は経験と議論を蓄積していかねばならない、とおもいます。なんか、ふつうのこといっていますが……。

——酒井さんはポピュリズムをポスト・ファシズムだと書いていますね。

ポスト・ファシズムですね。たぶん、フェデリコ・フィンケルステインっていう歴史家を参照にした議論のことでしょうか。でも、もうひとつエンツォ・トラヴェルソの最近の議論も興味ぶかいです。まず、ポピュリズムですが、フィンケルステインのポスト・ファシズムとしてのポピュリズム論で参考になるのは、それがファシズムとどこで一線を画すかという点なんですよ。かれはオリジナル・ポピュリズムと現代のポスト・ファシズムのポピュリズムを区別します。オリジナル・ポピュリズムは、ナロードニキとかアメリカ人民党です。アメリカの人民党は、わたしは現代ポピュリズムの原型だとおもうのですが、どういうことかというと、要するに、二大政党制が確立したときに、それが取りこぼしたひとたちをすくいあげたのがアメリカのポピュリズム運動なのです。そういうことをいうと、ボナパルティズムがそもそもポピュリズムであるということになりますし、たぶん、そうもいえるとはおもいます。でも、かれが問題にするのはそこではなくて、現代にまでいたるポピュリズムっていうのは戦後のラテンアメリカに発しているということです。つまり、ブラジルとアルゼンチンです。アルゼンチンのペロンは、それこそザ・ポピュリストというかミスター・ポピュリスト的に有名ですが、かれらは、もうファシズムを露骨にだすことができないのです。ファシズムにすごく影響されているけど、ファシズムではない。フィンケルステインは、現代にいたるまでの固有の意味でのポピュリズムが、ファシズムとその徹底的否定なしにはなかったという点を強調します。たしかに、ポピュリストとされる政権は、選挙において不正を大々的におこなうにしても、それでも選挙で敗れれば退陣しますし、みずからも、しばしばファシズムや全体主義への反対を公言します。ファシズムのように、いったん政権をとるとデモクラシーを否定しにかかることはしないのです。その点で、固有の意味でのポピュリズムとは、ファシズムの否定が前提となった大戦後のポスト・ファシズムの時代の政治形態なのです。しかし、同質的で一体のものとして想像された「ピープル」を唯一代表する者と公言し、三権分立、立憲主義、表現の自由、多元主義的要素を、最大限に制約しようとしたり、あるいは、対立者たちへの迫害をいとわない、といった点で、ファシズムと共通しています。というより、それらは、ファシズムの「想像空間」に根をおろしてもいるのです。

これは『福音と世界』に書いたエッセイでもいっていますが(「ピープルのいないところにポピュリズムあり?」新教出版社、二〇一七年一二月号)、ポピュリズムをファシズムとの連続でみながらも、それとはっきりと区別したところが大事だとおもいます。というのも、日本でも、ポピュリストに対してファシストと安直に重ねる傾向は強くて、それだと、ポピュリズムに固有の力学はみえなくなるし、代表制デモクラシーの危機とか、代表制そのものの問題点とか、ポピュリズムを生みだす構造的問題の根源がみえなくなるからです。

トラヴェルソのほうは、ちょっと長くなるので今回はやめときます。ただ、左翼ポピュリズムの議論は、さっきも田崎さんの話にでてきましたが、じぶんは田崎さんの紹介したラクラウのそのポピュリスト的切断のあたりからつきあってきましたけれど（ラクラウはやはりポストモダンづく以前の最初の本が一番いいとおもいます）、最終的にどうも納得できません。そういえば、田崎さんもその解説で、そういうことをいっていました。だってその論文は、トリアッティ再評価のものだったのですから。いま読むと、トリリアッティもなかなかいいじゃないかとかなるのかな？　そんなことないですよね。信じがたいことにムフ（わたしも一冊翻訳もしていますが……）は、数年前のインタビューではじめて「資本主義そのものに問題があるかもしれない」といいはじめて、マジか、って（笑）。こんなんだったらろくな分析できないのはあたりまえだよ、とかおもったんですけど……。基本的にはかれらの問題は、ポピュリズムはデモクラシーの過少から生まれてくるという問題意識がなくて、現存の「デモクラシー」をほとんど自明の前提とするところですよね。だから選挙を志向するひとびとには受け入れられやすいのです。その戦略の議論、つまり選挙に良心的にどう勝つかといった議論に翻訳しやすいですから。これもエッセイに書きましたが、左派はポピュリズムをデモクラシーの過少の生む現象と捉えるべきだとおもいます。それに対し、リベラルと右派はポピュリズムをデモクラシーの過剰であると捉えるのです。行き過ぎた民意とか、民衆の暴走とか。

――酒井さんはデモクラシーをどう捉えますか。不可視委員会的にいえばデモクラシーなんてものじたいがもうないんじゃないかという議論もあるし、われわれもそれに影響を受けています。これは統治性の議論にもかかわります。

そうですね、そういいたくもなります。不可視委員会は、いつも深い共感をもって読んでいますが、じぶんはそこまではいえない、というところもあります。とくに日本では、デモクラシーの概念は極限まで機能させないとヤバイとはおもうんですよ。内ゲバの話はあとで少しするかもしれませんが、共産党から新左翼まで、運動のなかでもデモクラシーの意識が乏しかったですし、それをデモクラシーに対するマルクス＝レーニン主義的批判というか骨抜き化が加速させていますよね。そして、小文字のアナキズム的、つまりノンセクト的作風は、世界では主流化しているのに、なぜか日本では後退の一途にある。だからいま、日本のこの文化のなかでデモクラシーを否定してしまうと、内ゲバ的なものの歯止めもきかなくなると危惧するのです。それと相関しているのでしょうが、デモクラシーを実質化するという課題意識が本当に消えたでしょう。最近では選挙への距離感というのが左派でもどこでも小さくなってきているようにおもいますが、小選挙区制すら批判されなくなっている。でも、たとえば古代アテナイでのデモクラシーにおいて、代表制はアリストクラシーのものとして否定されていたわけだし、代表制は大衆の擡頭に対して富裕層や中産階級だったリベラルたちがデモクラシーにかけた抑制装置でもあった。このような歴史もふまえて、いまあるとされるデモクラシーがはたしてデモクラシーなのか、本当にデモクラシーといえるようなものはなんなのか、をつねに問わねばならないとおもいます。ある意味で、どのようにすれば暴力なしにヒエラルキーを構成せずに多数がいっしょにやっていくことができるか、コンセンサスを形成していくことができるか、そのさいにディセンサスを保証するのか、というようなテーマが意識されて、その実現が志向されていれば、デモクラシーといった言葉にすがる必要もないかもしれません。そうした本質がむしろ、デモクラシーという観念の物神化によって忘れられているのかもしれませんから。でも、日本ではそうではないでしょう。デモクラシーそのものの否定は、たんなる専制、ヒエラルキー、古典的前衛主義、他党派解体の内ゲバ主義、などなどをたやすく招き入れるかもしれません。

もちろん、不可視委員会やＨＡＰＡＸがデモクラシーを退けることは、そうではないことはわかっているのでいいのですが、そのようにじぶんもいうのは違うというか、それはじぶんの持ち分ではないな、と。ただつけくわえておくと、フーコーも実はそうなんですよね。フーコーって、デモクラシーを肯定的に論じているというか、関心をよせているところってあんまりみたことがないんですよね。それと、かれは、リベラリズムといっても政治的リベラリズム、共和主義的リベラリズムって、ぜんぜん無視なんですよね。それがふくむところについて、いまはなにも自信をもっていえませんが、まあこの時代は、マルクシズムの影響もあって（ポジとネガ——ヒューマニズム的マルクシズムのスタ的デモクラシー論とか——ですが）、デモクラシーという概念は懐疑する、というのがこういうポジションのひとにとっては一般的だったのかもしれません。少なくとも、手垢にまみれているというのはあったのでしょうが……。でも、『自由論』最終章でもふれていますが、フーコーは「統治されまいとする意志」を論じながら、その統治される者の抵抗を、「統治する者と統治される者とが区別できなくなるまでにいたるようなゆるやかなプロセスを開始するもの」とみているのですよね。つまり、それは統治性の蒸発する地点をも考えていたのではないか、と。増補部分でデモクラシーは統治性の外部といっていますが、念頭にあったのは直接にはミゲル・アバンスールです。でも、フーコーのいっていることもそうだろう、と。つまり、統治性のゼロが統治性の外部としてのデモクラシーかもしれない、と。

——この本ではドゥルーズの管理社会論も重要な位置に置かれています。

『自由論』の課題意識の全体を支配しているのは、ドゥルーズの管理社会論ですよね。あらためて読むと。フーコーとかアウトノミストやマイク・デイヴィスとか複数の発想源を、フーコーを主軸にしながら、最終的に包括的課題としてまとめあげてくれたのが、ドゥルーズの管理社会論という感じかな。フランス語ではles sociétés de contrôleで、管理は「コントロール」なんですよね。実は、オリジナル版では管理統御社会と訳していますが、ずっとこれが気にくわなくて、でも管理ではなんかむかしの管理社会論みたいだし（無縁じゃないですが）、なんか商品の品質管理みたいだし、つまり、鋳造と転調でいうと鋳造の概念に位置しそうにみえちゃうんですよね。だから、恒常的な操作というニュアンスを付加するために「統御」をつけたのです。深くサーベイしているわけではありませんが、宮林寛さんの訳を踏襲して管理権力としているひとはあまりいないのではないでしょうか。

　それではなぜ、今回、管理権力にすっきりと統一したのかというと、まずはもうすっきりさせちゃおうと（笑）。あと、さっきいいましたが、管理社会論と区別がつきにくくなるとよくいわれるのですが、連続面もあきらかにあるんですよね。まさに管理社会という言葉が普及するような文脈をドゥルーズも共有していますし、それがいわんとした現象もかなり近いところもあるし……。それで内容を組み替える、というか盛り込んでいけばよいのかな、と。いずれにしても、ドゥルーズの管理社会論は、粗いスケッチにとどまっていて、フーコーがあいまいにしていたポスト規律社会の権力という論点を、論点として提示して、われわれに課題として手渡してくれているわけです。で、管理社会論は、それ以上、ドゥルーズの文脈でふみこんでいこうとすると、実は、いろんな理論装置がそこに混入しているんですよね。それを展開するということも『自由論』のあとに考えたことがあって、そのひとつの表現が今回増補につけた「転調と鋳造」なのですが、あとがつづきませんでした。そのエッセイで少し手をつけてはみたものの、それでもドゥルーズが管理社会論ということで本当になにを考えていたのか、どういう含蓄を込めたかというのはまだ未知ですよね。全体は把握されていないというか。本当に残念なことに、亡くなっちゃいましたからね。『シネマ』や『哲学とは何か』とかの議論を精査するなら、全体像も少しみえてくるのかもしれないですけど。

　ドゥルーズにかんして少しふれておくと、アンドリュー・カルプが『ダーク・ドゥルーズ』で、世界がドゥルーズに似すぎたといっていますよね。世界は出来の悪い映画のようになってしまったという有名な『シネマ』の一節ではないですが、世界は出来の悪いドゥルーズ主義みたいになってしまった。出来の悪いドゥルーズ主義というと、加速主義をおもいだしますよね。日本って加速主義っていわれてもあんまりピンとこないというか、ある種ピンときすぎるというか、だって浅田彰のドゥルーズ＝ガタリ論は、はっきりと加速主義でしたよね。左翼加速主義というのでしょうか。でも、これってもともと資本の文明化作用という議論がマルクスにあって、そのバージョン違いだとずっと感じていました。あのマルクスの議論ってかなりヤバイんですよね。もちろん、植民地主義の正当化にもなるわけですが、あれが戦前の総動員体制からこのかた、ずっと日本の知識人も落ちいってきた罠のような気もするし……。ニック・ランドも今回はじめて読んでおもしろかったんですが、かれの加速主義は、左翼加速主義がまだ資本の文明化作用という枠にとどまっていたのをふみはずして、資本の非文明化作用というか文明破壊作用に賭けるという感じで、これは日本の加速主義の系譜より強いですよね。でもおもったのですが、加速主義系の議論は、どれも多かれ少なかれドゥルーズ＝ガタリに依拠しているようにみえますが、こぞって戦争機械論については不在であるか乏しいじゃないですか。気分的に『千のプラトー』よりは『アンチ＝オイディプス』ですよね。

これはかつてわれわれと近しかった萱野稔人の『国家とは何か』もそうですよね。もともと友人だったし、まさか政治的に現在のような右翼的ポジションにいくとはおもわなかったので、そのポテンシャルのほうにより多く期待してしまったのですが、『国家とは何か』というのは、基本的に反動的な本なんですよね。ホッブズの論理と本質的にはなにも変わらないのです。人間は放っておくと暴力の渦に巻き込まれるが、ありがたや、やくざ（国家）が暴力を独占することでもってそんなカオスから救ってくれる、と。べつのいいかたをすると、「警察とは桜の代紋を背負った日本最大のやくざ組織である」という実録映画の——というか、本物のかたぎじゃないひとたちの——鋭い洞察を、ホッブズ的な凡庸な論理に仕立ててみせたものです。ここでもドゥルーズ＝ガタリが参照されていますが、やはり、戦争機械論は本質的な意味ではほとんど影響を及ぼしていません。こうみると、戦争機械なきドゥルーズ＝ガタリは反動化しやすい、といっていいような気もします。

ついでに、ニック・ランドは資本の文明破壊作用に賭けるといいましたが、かれのおもしろいところは、そのようなかたちで資本主義とタナトスという問題にふれているところなんですよね。ラッツァラートとかが注目するところですが、ドゥルーズ＝ガタリの資本主義論には、ほかの論者にはあまりないか、あるいはあっても資本主義の本質として理論化にまではいたっていない異様な要素があって、それは資本主義の反生産的な契機という指摘です。二〇世紀の歴史全体がそれを示唆してもいますが、最近ではわれわれは、原発事故というかたちでも、それ以降の破滅的な資本と政府の対応というかたちでも経験しています。それに決定的なものとして、気候変動をあげてもよいでしょう。このような視点は、レーニンにおける機関車を加速するものとしての革命と、ベンヤミンにおける暴走する機関車を停止するものとしての革命というヴィジョンの差異にもあらわれています。さらにこの論点は、スターリニズムとファシズムとの違いにもかかわってきます。ドゥルーズ＝ガタリは、スターリニズムとナチズムとニューディールがおなじ危機への対応からあらわれた三つの道であるとしたうえで、スターリニズムとニューディールをおなじ枠に括っていますよね。スターリニズムとニューディールは、お互い模倣関係にあると。戦後の社民主義的体制もいわゆる「現存社会主義」とその模倣関係のうちにある。でも、異質なのはナチズム、ファシズムで、それは戦争機械とむすびついていて、タナトスに捕らえられていたというのです。で、それが、資本主義に内在する破壊衝動とむすびついて、死の衝動に駆り立てられていって自滅してしまうと。このあいだマニュエル（ヤン）がおもしろいことをいっていたんだけど、トランプは資本主義を死滅させようとしている、そういう議論があるらしいです。つまりトランプは「気候変動なんかない」っていったでしょう。権威主義的リベラル仲間のボルソナーロなんか、人類の延命装置であるアマゾンを破壊されるにまかせようとしている。ほとんど、かれらのやっていることは自殺のすすめです。いっぽう、気候変動に対応して持続可能性とかグリーン・ディールみたいな政策をすすめましょうという左派が資本主義を延命させようとしている、と。このような状況のなかで、戦争機械論によってなにがいえるのか、ここではまだ準備がありませんが、ニック・ランドが資本の文明破壊的作用に賭けられるというか、みずからがそのような動きに一体化できるのも、戦争機械論が欠落している、つまりその独自の次元、そしてその両義的次元の認識が欠落しているからですよね、たぶん。

——日本にはもう一方でレーニンを評価する左派や右派がいます。

日本では、くり返しになりながら、世界的な小文字のアナキズムと共鳴した模索が拡がらないまま、先祖返りがあちこちにみられるようにおもいます。たとえば、若い世代と話をしていて、ときに、「エキストリーミズム」を感じるのですよね。エキストリームっていうのは、かならずしも、ラディカルじゃない。ラディカルじゃなくて、エキストリームである。たとえば、エキストリーミズムの典型はＩＳです。ＩＳはよくいわれるように、女性差別やヒエラルキー、権威主義、はては西側消費主義まで、すべての既存の体制の特徴を備えたまま、その暴力性と残忍性をエスカレートした組織です。だからラディカルではなく、エキストリームなんですよね。日本でも、このＩＳを肯定してしまうというような態度にときどきでくわすのです。なぜか、参照されるのは、ロジャヴァの実践ではないのです。そのアナキズム的連邦制の実験も、よくいわれるスペイン内戦の「自由な女」とのパラレリズムについて言及されることも、そういうばあい、ほとんどありません。一九七〇年代に、六八年革命とはすれちがうかたちで、エキストリーム化した新左翼の武装、そして、それとつながっていた内ゲバもそうですよね。そこにみられるのは、ほとんどのばあい、軍隊的規律、暴力を背景にしたヒエラルキー、女性差別、スペクタクル的宣伝文など、既存の支配的構造をエキストリーム化したものばかりなのです。つまり国家機械の模倣であって、その国家機械を国家機械以上にエキストリーム化することで、既存の国家機械を超えようとするわけです。なんというのか、国家機械の平面でしか世のなかをイメージできないような体質が、日本にはとくにあるような気がするんですよ。

だからわたしはけっこう悲観的で、たとえ日本で運動が急進化する機運になったとしても、即座に（ほとんど瞬間的に）とんでもない内ゲバになって、自滅するような気もしているのです。三・一一以降の主流の運動も、ものすごくセクト主義的でしょう。いつもいうのですが、これを考えるときに、わかりやすいのは二つの態度を比較することです。かたや、ある時期まで市民運動に浸透していた「暴力で意見の違いを解決する組織とはいっしょにやらない」という原則があります。かたや、最近流行の「極左おことわり」です。前者は無党派の原則ですが、後者はセクト主義の論理です。このふたつには、大人とお子様ほどの違いがありますし、解放された世界とファシズムといっていいほどの違いがあります。後者は、「意見の違いを暴力で解決する」可能性に開かれているし、それに近いことはすでに起きてきました。「極左おことわり」といっているひとは、じぶんたちはセクト主義からも内ゲバからも遠いとおもっているのでしょう。しかし、実はそれをみずから体現しているのです。それに、極左というのは恣意的な境界線であり、それが権力に左右されるのだ、という最低限の権力への忌避感覚がないのもキビしいですよね。権力ににらまれるやつは悪いやつで、排除されるべきなのだというなんとも陰湿な体質が透けてみえるのです。要するに、これは警察の論理、国家の論理なのです。絶望的なのは、述べたように、そこに、セクト主義という自覚すらないということなのですよね。だから、わたしは日本そのものがセクトで、しかもますますそうなっていて、日本で生きているとすくすくとセクト主義の作風を空気のように身につけてしまうから、自覚的なノンセクトになる以外にこれを脱出する道はないのではないか、とおもったりもするのです。ここではノンセクトを強調しているのですが、アナキズムではないということが大事だとおもっています。というのも、アナキズムだって、「イズム」であって、「純粋アナキズム」潮流をみてもわかりますが、ものすごくセクト主義的になれるのですから。

レーニンを評価するということでいうと、わたしはトロツキーはそれなりに読んできたのですが、なぜかレーニンがもともとあまり好きではありません。だから、マルクシストがいまのリベラリズムの普遍化状況に不満を抱いて、それに対抗する手がかりをレーニンにみつけるというのも、あんまり興味がないのですが、でも、どうでしょうね。とくに日本のこのような状況でレーニンとかいったら、たとえばアッセンブリー的なものとかをばかにして、すぐ悪い意味での組織化、戦略、陰謀、ヒエラルキー、指令構造などで固めるほうに走るような気がします。

おおきくひとをわかつものに、流動的な状況についての、感性の違いみたいなものがありますよね。セクトに惹かれることのないひとと、惹かれてしまうひともそこでわかれるような気もします。たとえば、具体的な運動の局面でいうと、なにか大きな課題がでてきますよね。そうすると、キャンパスの各棟の地下部室を地下茎のようにはりめぐらされていた網の目が、動きだすわけです。つまり、そんな空間が保証している境界のあいまいな人的ネットワークであって、そこをつたってうごめく有象無象の人間たちがいて、そして、さまざまなサークルや機関に、その強弱はともかく「機能」する人間たちがいて、交錯しあっていて、持続的な組織がなくとも、たとえ少数でも、いざ状況が流動化すると、このネットワークが作動をはじめ、少数だったのが三倍、四倍にも増え、さらに「野次馬」参加が折り重なって、党派による組織を超えて事態を動かしていく。そして事態が収束すると、ふたたび少数の核からなる諸戦線と、あいまいな人的ネットワークにかえっていく、といったような力学ですよね。この力学をちゃんと観察できて身体で理解できるひとと、そうでないひと、そういう自発性に興奮するひとと、不安をおぼえるひとがわかれるとおもいます。後者はふつうに、セクト主義的前衛組織からリベラル、保守にいたるまで共有している、「常識」ですよね。

——やはり戦争機械が問われるということですね。

これこそ戦争機械ですよね。さっきからセクトとセクト主義をごっちゃにしていますが、厳密にいうとそれらはわけるべきで、セクトが戦争機械として機能するときもあるとおもいます（たとえば、六〇年安保闘争のさいの一時期のブントとかそうですよね)。国家機械に統合されたり、みずから国家機械と化したりすると、セクト主義になるというのでしょうか。ドゥルーズ=ガタリをどんなに読んでもそれを理解していないひともいれば、そんなのまったく読んでなくても理解しているひとがいる。さっきもいいましたが、わたしはもともと運動が苦手ですし、偶然の折り重なりがなかったら運動になんかいっさいかかわっていなかったでしょう。たぶん、選挙で共産党に入れるぐらいで。本当に学生運動やりたかったというひともノンセクトにはかなりいて、意外だったのでいうのですが……。

くり返しになりますが、じぶんがノンセクトをいま強調したいのは、そこにあった倫理ゆえになんですよね。それがぜんぶよかったとはいいません。問題だらけだったともいえます。実際、いやだなとか悪いとかかんじるところもありましたから。こういうことをいうとすぐ、ここに欠陥があった、あそこがおかしかった、だからロマンチックに語りすぎだ、というひとがいますから、いっておかねばなりません。いつも完成体を念頭において、いつもそこになにか隙や欠陥を探して、それを摘発しないと気がすまないひとですね。それで「幻想を破壊し」て、しょせんは○○もたとえば「差別者」であることが暴露した、というわけです。でも唯一の問題は、なにか欠陥や問題があったなかったということではなく、そういうなにかにぶつかったとき、暴力とか排除の脅しとかやましさにつけこんで服従させるとか、そういうことなしに乗り越えようとする作風があるかどうかだとおもうのです。そして、そのようにして倫理を発展させる先にしかマシな世界はないと感じるのです。こういうことを『HAPAX』でいってもしょうがないというか、そりゃそうだろうといわれるだけでしょうが、たとえば原発再稼働させないために、被曝のことはいうな、あれはやるなこれはするな、そうでないと多数派に受け入れられないぞ、とかいうような、統制主義的だったり、官僚主義的だったり、マーケティング的だったり、セクト主義的だったりする発想ってほんとにいやですが、そういうのばっかり目立っている日本語環境はやはりつらいものがあります。ですし、そういう発想の先にあるのが、たとえいまより「いい社会」だとしても(まあ「いい社会」じゃないとおもいますが）、ぜんぜん関心がありません。だからSNSで、いつも始終、社会問題をシェアしたり嘆いたりしているひとのことは、えらいとはまったくおもわないこともないですが、とくに最近ではそういうひとは選挙も熱心ですから――そうじゃない、本当にえらいなあとおもうような活動家もいますが――、根本的になんか違うんだろうな、とも感じます。ああ、こんな制度のなかで、よいリーダーがでてきて、みんながまじめにだれにリードしてもらうかを選んで、そのリーダーに世のなかも正しくしてほしいんだろうな、と。じぶんは、そういうものがなにも変わらず「正しい」世界になることにはなんの関心もありません。つきつめていえば、人類なんてここらで存続をやめたほうが、地球にとってもいいでしょうし（笑）。

ファシズム5・0

友常 勉

1 Society 5.0

内閣府がそのホームページで紹介している「Society 5.0」は、次世代の高度情報化社会に向けた日本政府の基本ヴィジョンである。二〇一九年六月二一日に閣議決定された「成長戦略閣議実行計画」に添付されている映像では、ドローンで配達される女子高生のスニーカー（しかも憧れている先輩と同じメーカー）、無人バス、インターネットによって主治医の診断を自宅で受ける高齢者など、IoT (Internet of Things) がインフラを完備する社会がファンタジー仕立てで語られている。「経済発展と社会的課題の解決を両立する Society 5.0」は、貧困・格差、都市と農村の対立、少子高齢化、低い経済成長率など、日本が抱える矛盾の解決をめざすというのである。(https://www.kantei.go.jp/jp/headline/seicho_senryaku2013.html)

Society 5.0とは、「二一世紀の石油」としてのデータ産業とサイバー技術を前提に、金融危機後の金融ネットワーク経済に対応した雇用・労働再編によって実現される資本主義社会論である。

> サイバー空間（仮想空間）とフィジカル空間（現実空間）を高度に融合させたシステムにより、経済発展と社会的課題の解決を両立する、人間中心の社会(Society)、狩猟社会(Society1.0)、農耕社会(Society 2.0)、工業社会(Society3.0)、情報社会(Society 4.0)に続く、新たな社会を指すもので、第５期科学技術基本計画において我が国が目指すべき未来社会の姿として初めて提唱されました。

この歴史的段階的な発展論は、世界経済フォーラムの「グローバリゼーション４・０」に先駆けて、アルビン・トフラー「第三の波」をアレンジして発案された日本発のアイディアであり、今日の官邸、経団連、そして関連学会を席巻している。トフラーの第一の波・農業革命、第二の波・産業革命、そして第三の波として情報革命による脱産業社会（情報化社会）という区分は、ここではあらためて五段階に分節化されている。それは単なる高度情報化社会論ではない。そこには「データの海」を統合・操作するオペレーション機能が付加されている。

> これまでの情報社会(Society 4.0)では知識や情報が共有されず、分野横断的な連携が不十分であるという問題がありました。人が行う能力に限界があるため、あふれる情報から必要な情報を見つけて分析する作業が負担であったり、年齢や障害などによる労働や行動範囲に制約がありました。また、少子高齢化や地方の過疎化などの課題に対して様々な制約があり、十分に対応することが困難でした。〔…〕Society 5.0で実現する社会は、ＩｏＴ(Internet of Things)で全ての人とモノがつながり、様々な知識や情報が共有され、今までにない新たな価値を生み出すことで、これらの課題や困難を克服します。また、人工知能（ＡＩ）により、必要な情報が必要な時に提供されるようになり、ロボットや自動走行車などの技術で、少子高齢化、地方の過疎化、

貧富の格差などの課題が克服されます。社会の変革（イノベーション）を通じて、これまでの閉塞感を打破し、希望の持てる社会、世代を超えて互いに尊重し合あえる社会、一人一人が快適で活躍できる社会となります。

だが、このマニフェストには意図的に触れられていない事実がある。物資と情報流通を担うためには高度に単純化された労働が必要であり、さらには金融危機のリスクを補填するために投入される財源が労働力の搾取以外にないという、情報社会を可能にする自明の前提についての言及がここにはない。だが、Society 5.0 が謳う、ＩｏＴにもとづくインフラ基盤整備による利便性の高い社会は、アベノミクスのもとでの「働き方改革」に示される労働・労働市場再編と不可分である。というよりも、労働再編による働き手の更なるプロレタリア化なしには実現しない。そのことが隠されているわけではない。これについては「成長戦略閣議実行計画」本文から引用しよう。

付加価値の高い雇用の創出　第4次産業革命は、労働市場の構造にも著しい影響を与える。その構造変化の代表が両極化である。米国では、中スキルの製造・販売・事務といった職が減り、低賃金の介護・清掃・対個人サービス、高賃金の技術・専門職が増えている〔…〕。日本でも同様の両極化が発生し始めている。また、第4次産業革命や人口減少など変化が激しい時代には、企業も個人も、変化に柔軟に対応し、ショックへの強靭性を高める必要がある。このためには、第4次産業革命によってもたらされる分散化・パーソナル化の力に合わせて、働き方としても、多様で柔軟な企業組織・文化を広げる必要がある。

「第4次産業革命」すなわちインターネット・テクノロジーによって基盤整備された社会とは、基幹部門や流通部門の労働がそれに対応して高度に合理化された社会である。それは労働を、付加価値や副業によってさらに価値を生み出すことが期待される高度専門職と、非熟練単純労働に二分割する。しかもハイテクの夢を謳うSociety 5.0は、それが残酷な労働再編を伴うことを隠していない。人々には「ショックへの強靭性を高める」ことを求めているからである。その典型的な事例が、社会の「モビリティ」を担う職種である。

> 交通事業者（タクシー運転手等）が自らのノウハウを通じて自家用有償旅客運送に協力する、具体的には、交通事業者が委託を受ける、交通事業者が実施主体に参画する場合の法制を整備する。この場合、事業者が参画する前提のため、地域における合意形成手続を容易化する。これにより、安全・安心な輸送サービスの提供を促進するとともに、実施主体の負担を軽減する。必要な法案について、２０２０年の通常国会に提出を図る。

すでにタクシー業やフードデリバリーサービスで世界展開しているＵｂｅｒがそうであるように、自己負担のフリーランサーによる交通業が業界を支配している。しかし交通業者たち、ドライバーたちは会社に雇用されているわけではないから自営業者とみなされ、労働法で守られる権利を有さない。利用者も自己責任でそれを利用するのだから、「相乗り」のリスクを承知しなければならない。その責任は「地域社会における合意形成」へと転化されている。それは当然、地域社会のセキュリティ・ビジネス、すなわち官民合同で地域に監視カメラを設置するような、治安管理体制が必至だということである。流通インフラを支えているのはフリーランサーの労働であり、それは治安管理体制の構築とセットだということである。しかもこの物流システムは、組み立て作業が購買者にゆだねられるＩＫＥＡの通販家具がそうであるように、流通と製造コストを削減することで、購買者・消費者による膨大な不払い労働を搾取することで成立している。

Society 5.0のこの社会システムでは、「キャッシュレスペイメント手段」の普及もまた前提である。「例えば、割賦販売法の与信審査における性能規定の導入など、フィンテック企業をはじめとした決済事業者の円滑な事業展開を可能とする仕組みを導入する」。キャッシュレス社会の徹底は、クレジットカードを持つものと持たないものとの決定的な分断を意味する。カード審査を通らない個人はあらゆるサービスから除外されるのである。そうして排除された人々の行き場は保障されていない。

ポストフォーディズム社会の到来を強調した二〇〇〇年代の小泉改革でも、こうした第4次産業革命にもとづく社会再編は繰り返されてきた。しかし今日のアベノミクスが進めようとしているこの社会再編は、教育再編から労働再編まで、その「改革」がより徹底しているところに重大な問題がある。それはドイツ・ファシズムがそうであったように、貧困・格差と非正規労働－失業の解消をスローガンとした、労働のアレンジメントにターゲットを置いた有無をいわせない攻撃なのである。これを〈ファシズム5・0〉と呼ぼう。本稿はその理由を展開することを目的としている。

このファシズムは、金融・流通過程、各種資源の収奪・採取過程としての資本の蓄積過程を統合・操作する技術＝オペレーションの力を握ろうとするエージェントたちによって遂行される。このオペレーションの政治が、二〇〇八年金融危機によって促されたことを振り返っておこう。

2　金融危機とオペレーション・ポリティクス

オペレーションの政治は、二〇〇八年金融危機という契機を経て加速度的に拡大した。同時に、この金融危機はマルクス『資本論』における「利子生み資本」論の理論的刷新をも促した。マルクス「利子生み資本」論――新MEGAの草稿研究を踏まえたそれ――は今日の金融資本の蓄積過程の要約としての内容を有するが、それは従来の生産物資本からの理解――実物経済と金融経済の矛盾――という説明ではとらえられない。マルクスの議論に包括されていたとはいえ、そこでは大幅な補足と解説が必要である。そもそもこの金融資本の流通・蓄積プロセスでは、利潤は可変・不変資本に再投資されず、直接的に金融資本そのものの流通・蓄積過程に投資される。その意味で、この金融資本主義は、労働者の生きた労働から剰余価値を吸い上げるフォーディズム型資本主義ではない。こうした変化は、一九七一年の変動相場制の導入に端を発し、それによって通貨システムが国内外の労働者の賃金闘争から切り離されたことによる。しかし金融資本は、それが利子生み資本＝架空資本であっても、資本である以上、前貸しされた借入の返済を要求する権利を有する。それゆえ金融危機によって生じた損失は現物経済に転化される。サブプライムローンとリーマンショックがそうであったように、金融マネーの損失は世界規模での労働者の解雇をもたらし、その生存と生命を深刻な危機にさらすのである。

　金融資本と労働者の賃金との関係からいえば、サンドロ・メッザードラが要約しているように、金融資本主義というポストフォーディズムが形成されるなかで、賃金は減少し不安定になり、資本への投資は停滞する。そのため、収益の実現は、非賃金所得による消費の役割へと向かう。消費や社会保障部門における分配という側面において、資本の再生産が実現される。労働者はレント生活者として消費の増大を担うが、見方を変えればそれは、利益の実現が、賃金労働者の借金消費によって達成されるということを意味している。

　この金融資本主義においては、株主たちのより高い株価配当の追求が、統治不可能な金融商品の増殖を通じて、擬制利潤の増大をもたらす。その増大は消費分野の文化部門での拡大と、低開発国・地域における過剰搾取と地域経済の破壊を伴う。さらに大学など知的生産の分野では認知資本主義の展開となって現れる。そこでは固定資本の重要性が失われ、付加価値創出のための非物質的労働の搾取がエスカレートする。上述したＵｂｅｒの労働形態はこれに該当する。自己負担のフリーランサーによる交通業界の支配とは、副業あるいは〝ギグ・エコノミー〟という不安定な労働形態の拡大を意味している。固定資本＝労働手段としての自動車や、民泊の家屋よりも、それを労働手段としてサービス活動をする道具的機能こそが価値を生み出すのであり、その機能は労働力の生きた身体に移転している。この場合、労働手段のメンテナンスは労働者の負担となる（フマガッリ／メッザードラ）。いわば労働手段の機能が労働者の労働力に転移した労働形態なのである。

　こうした金融資本主義のシステムのもとで展開しているオペレーションの政治は、次のように定義される。長文の引用となるが、以下、メッザードラ／ニールソンの議論を参照する。

> オペレーションとは何か？　この言葉にどんな意味を当てればいいのか。私たちのオペレーション理解に必要なのは、金融、流通、採掘－採取（extraction）の三つの重要な参照項である。金融オペレーションと流通オペレーションのような用法は、とりわけメディアや日常の使用言語で広がっている。採掘－採取オペレーションといえば、採掘、データ処理やそのほかの活動にかかわる議論に特徴的である。資本それ自身が作りだすのではないリソースから、資本が引き出そうとする連続的な要求に重点を置いている。（Mezzadora/Neilsan, 66-67）

なお採掘－採取（extraction）については補足が必要だろう。採掘－採取オペレーションとは、「資本がそれ自身を維持し永続化するため、多様な外部を利用するプロセスに固有の方法」である。そしてこれら三つの要素がネットワーク化して、オペレーショナリズムを形成する。

> オペレーショナリズムは資本の現代的な活動のうちによりいっそうからみつくようになった。そのことはとりわけ金融と流通を考察する際に明らかである。〔…〕それは24時間／週7日間のペースで、グローバルな金融市場のデジタル化された為替とその圧力によって支配されている世界である。あるいは、加速化する流通管理と、そこに連携している物資と人々の運動に支配された世界である。金融と流通は、パフォーマンスの基準とパラメーターにもとづく自動的で機械的なイメージの生産と同時に発生する。金融と流通オペレーションは世界に構成主義的な効果を与えるのである。それは私たちがフレームワーク、あるいは世界の骨組みと呼ぶものの定義において決定的な役割を果たすのである。（ibid. 69）

このオペレーショナリズムは、個々のエージェントとしての資本家たちの個別の物質的条件や安定化のプロセスのなかで、また、人々が生活する社会基盤のなかで、対立と葛藤が交雑するなかで「光を放つ資本の働き」である。オペレーショナリズムにもとづく新たな資本主義を理解するためには、全体としての資本主義と、個々の国家や地域権力とガバナンス、エージェントの役割が実証的に検討されなければならない。

ここで、メッザードラにならって、金融―流通―採取のオペレーショナリズムのひとつの事例として、ギリシャのピレウス港の二つの埠頭の運営権を購入した、中国の物流企業である中国遠洋運輸集団＝コスコ・シッピング・グループをとりあげよう。

コスコは二〇〇九年、四九億ユーロを投資してコンテナ第二、第三埠頭の運営権を三五～四〇年にわたって獲得して子会社ＰＣＴを設立し、第三埠頭を拡張した。ＰＣＴのコンテナ取扱量は二〇一〇年の六八万五〇〇〇ＴＥＵ（二〇フィートコンテナの単位）から二〇一八年には四四〇万三七四四ＴＥＵと六・四倍に膨れ上がった。また、ピレウス港全体のコンテナ取扱量は二〇〇七年から一〇年間で約三倍に増え、欧州の中で七位のコンテナ港に躍進した。地中海では一番の港湾都市だ。今後ＰＣＴは付加価値税（ＶＡＴ）や関税、物品税のかからない保税地域を設け、最先端のテクノロジーを導入、ストライキのない不眠不休のコンテナ港を目指す。当面の目標は上限の六二〇万ＴＥＵだ。〔…〕（コンテナ船世界大手の）２Ｍやオーシャン3のほか、川崎汽船、商船三井、日本郵船が設立したオーシャン・ネットワーク・エクスプレス（ＯＮＥ）などとビッグ・アライアンスを組んで、世界の貨物を扱っている」。〔…〕ピレウス港はスエズ運河を抜けて初めて立ち寄る港で、地中海を通じて欧州と中東・アフリカとつながり、黒海に抜けることもできる。債務危機という絶好のチャンスを見逃さず、地政学と戦略性に長けた安い買い物だった。〔…〕二〇一五年、ピレウス港に中国人民解放軍の大型揚陸艦「長白山」が寄港し、ギリシャのアレクシス・チプラス首相も馳せ参じた。そして、中国人民解放軍がロシアとともに地中海で初めて海上合同軍事演習を実施した。その後もピレウス港への中国軍艦の寄港は続いている。〔…〕二〇一七年にギリシャは、EUが中国の人権問題を非難する声明を国連人権理事会に提出するのを妨害した。ギリシャ外務省は「特定の国を名指しで非難するのはその国の人権状況の改善を実現させるわけでもなく、EUとの関係を発展させるわけでもない」と表明した。〔…〕ピレウス港への投資が純粋なビジネスではなく、政治目的が込められていることが簡単に見て取れる。〔…〕欧州におけるコスコの港湾投資はギリシャのほか、ベルギー・ゼーブルッヘ港（持ち株比率八五%）、アントワープ港（二五%）、スペイン・バレンシア港（五一%）、ビルバオ港（四〇%）、伊ヴァード・リーグレ港（四〇%）、オランダ・ロッテルダム港（三五%）に広がる。港湾事業会社の招商局港口控股や青島港国際がこれに続く。（木村、二〇一九年）

ギリシャの経済危機に便乗した中国の物流企業・コスコによるギリシャ・ピレウス港埠頭の運営権購入という事態は、ただちに二〇〇九年のマダガスカルの政治的危機を連想させる。この事件は、韓国の旧財閥の系列会社である大宇ロジスティックスが、マダガスカル政府と土地のリース契約を結んだことに端を発する。この用益権の合意によれば、大宇はマダガスカルの国土の半分を九九年間、バイオ燃料製造に用いるトウモロコシ生産のために使用できるというものであった。国家資源の大半を海外の私企業が取得するというこの理不尽な契約は、国民の反感を招き、すぐに全土のクーデターを引き起こした（友常、二〇一九年、一五―一六頁）。マダガスカルでも、ギリシャ・ピレウスでも、国家主義的に編成された金融―物流―データのシステムが、現在の世界の金融資本の構造を規定していることがわかるだろう。それは金融―ITテクノクラートと物流企業によって展開される国家主義的な資本展開の一形態である。しかもコスコは従来のギリシャの物流企業よりも低い賃金で港湾労働者を使役し、労働組合と対立関係にある。だがコスコによるギリシャ港湾労働者の収奪と搾取は――そして地中海の流通支配も――、ギリシャ政府によって保全されているのである。

おわりに――金融危機後のテクノ－ファシズム

Society 5.0 の時期区分論はひとつの終末論であり、また同時にユートピアのヴィジョンでもある。現在の日韓経済戦争を主導している日本の経済産業省のなかで、若手官僚たちは、『不安な個人、立ちすくむ国家』（文藝春秋、二〇一七年）という、「日本経済活性化のため」の指針を上梓している。その内容は Society 5.0 に描かれた夢の可能性を信じる若手官僚たちが、その指針に従った統計データを示す一方で、近未来の情報社会のヴィジョンを理解することができず、従来の労働－雇用－社会保障体系に固執する頑迷な国民と社会を啓蒙しようというものである。彼ら・彼女らは国民の残酷なプロレタリア化を前提とするそのヴィジョンに陶酔している。その姿は、「大東亜共栄圏」のヴィジョンを信じて、戦場と植民地で何が起きているかを顧みることなく、戦前の植民地開発から、そのまま戦後東南アジアにおけるダム開発に転じていった技術エリートたちの姿に重なる。

今年九月、あっけなくも早世して私たちの目の前からいなくなってしまった歴史学者のアーロン・ムーアは、その主著 *Constructing East Asia* の終章で、大東亜共栄圏を担った技術エリートたちを、テクノ・ファシズム研究の文脈に位置づけようとしていた (Moore, 2013)。アーロンの議論は金融工学とIT技術で武装した今日の技術者集団を射程に入れていたわけではないが、戦前の植民地主義的開発の経験を生かして戦後国土開発に邁進し、原子力産業を戦後日本に導入していったその集団のエートスを、テクノ－ファシストたちとして、経済産業省をはじめとする金融資本のエージェントたちになぞらえることは、まちがっていないだろう。全能なる金融－流通－データのオペレーションを信じ、あらたな国家－資本統合に向けて実存的身体的に自らを投企していくファシズム的主体。個の実現と社会の改革を夢見る技術者＝テクノ－ファシストたちの系譜がここにある。しかし、このファシズムの担い手たちは、同時に、自助努力論・自己責任論で自己形成した金融資本の経済・人事マネージメントのエージェントたちであり、皇道派の軍人でも、浪漫主義者でもない。おそらくこのファシストたちは、日本においては、前史としての4・0までの社会が大東亜共栄圏とその遺産によって支えられてきたことを、まったく意に介さないだろう。そして白色テロルとも親和的な関係を結ぶだろう。Society 5.0 が〈ファシズム5・0〉であるのは、以上のような理由による。

さらに私には、このエージェントたちの言動に、未完の「ニルヴァーナ」を夢見て、個的実存と身体と、科学技術を擬似国家のもとに統合して、他者の意識と身体の植民地化を全く躊躇わず、全能の国家集団をつくろうとしたオウム真理教の信徒たちの行動が重なる。経済産業省の官僚たちや金融資本のエージェントたちは、ニルヴァーナを求めたオウム真理教の信徒たちの分身、あるいはもうひとつの〈可能性〉なのではないだろうか。ファシズムの支配を食い止めようとする私たちの思惟は、それゆえ、人間の意識と感覚的身体の暗い闇のなかに入っていくことを必須とするのではないかと考える。

References

木村正人「欧州玄関港を支配する中国、トロイの木馬と化すギリシャ 一帯一路の衝撃、赤く染まる「海のシルクロード」」『Wedge』二〇一九年三月号。

友常勉『夢と爆弾——サバルタンの表現と闘争』航思社、二〇一九年。

A・フマガッリ、S・メッザードラ（編）、邦訳、朝比奈佳尉・長谷川若枝、『金融危機をめぐる一〇のテーゼ——金融市場・社会闘争・政治的シナリオ』、以文社、二〇一〇年。

Aaron S. Moore, *Constructing East Asia: Technology, Ideology, and Empire in Japan's Wartime Era 1931-1945*, Stanford University Press,

Sandro Mezzadra, Brett Neilson, *The Politics of Operations: Excavating Contemporary Capitalism*, Duke University Press, 2019.

Society 5.0 をはじめとする国家戦略の分析と理解にあたっては、浜矩子教授の知見に負うところが大きい。記して感謝申し上げる。

なお、Society 5.0 と大学「改革」＝リストラを論じたものには田中宏充・佐藤博明・田原博人、『２０４０年　大学よ甦れ——カギは自律的改革と創造的連携にある』（東進堂、二〇一九年）がある。

ロジスティックの統治

01

「男性は女性という乗り物の乗客である。誕生の際も、そして性的関係においても」(1)。読み手が矯風会型のフェミニストなどであったならば、思わず眉を顰めずにはいられないようないくぶん挑発的な表現から、乗用動物の家畜化よりも女性の家畜化の方が先行していたという事実をヴィリリオは指摘しはじめる。「家畜化されたメスは最初の兵站支援手段であり、狩人を補給業務から解放して戦闘遂行を可能にする」(2)。女性の家畜化、乗用動物の家畜化、戦争捕虜の奴隷化と続くロジスティクスの進化こそが原国家創設の理路である。

02

ドゥルーズ=ガタリは原国家について、「生まれたときにはすでに成熟していて、一挙に出現する」(3)事態として描き出した。だが、ほんとうに神や宇宙人やある種の天才が飛来した結果として原国家が出現したわけではない。そのようなイメージに伴う印象上の鮮烈さは、先史時代がまさに先史時代であるがゆえの考古学的史料の少なさにもある程度は起因するのかもしれないが、それ以上に「奇襲」という事態を可能にしたロジスティクスの機構によるものと考えなければならない。原国家は奇襲的に出現したのである。奇襲とは敵方の意表を突く戦機・戦場へと物量として形象化された軍事力を一挙に出現させる戦術であると同時に配備の一形式でもあり、敵は遭遇した前衛部隊そのものに対して驚くよりもむしろ、そのような配備を可能にした機構を想像して驚くのである。

03

国家装置とはロジスティクスそれ自体のことである。奴隷を含む新たなる諸資源の捕獲、輸送手段のアレンジメント、つまりロジスティクスそれ自体の強化こそが戦争の目的とされてきた。したがって、ロジスティクス的理性においては、戦闘によってもたらされる諸資源が破壊されてしまうかもしれない危機を可能な限り先送りし、その破壊の規模を最小限度のものに押し止めようとする文明的計算の契機が常に作用する。「故に善く兵を用うる者は、人の兵を屈するも而も戦うに非ざるなり」(4)とは孫子の言説である。

04

ヴィリリオは述べる。「女性はまず妊娠という荷役作業をし、ついで赤ん坊を運搬し、さらに荷物一般をはこぶ仕事をおこなう。つまり女性は戦士に時間をあたえるのだ。ときに楽しい時間を、しかしなによりも解放された時間を」(5)。補給業務から解放された運動エリートたちは、やがて近衛兵として温存されることとなり、一方で捨て石の憂き目を見る者たちとの間に分業が生まれるに至る。この分業体制の全体がロジスティクスである。国家装置に接続された戦争機械は内部性形式の戦争を戦うのだ。

05

補給を遅滞なく実行するためには、道路が整備されなければならない。道路の発明について、ヴィリリオは概観する。「女性が家畜化されることにより、人間にとって餌食ではなく敵を発明することが可能になった。それから戦闘の延長はさらにつづけられ、荷役動物、乗用動物の発明、騎馬、荷車そして交通基盤整備の必要性とつづき、それがメソポタミアにおける道路の発明をもたらし、やがては鉄道網へとつながる」(6)。

06

不可視委員会によれば、権力はもはや制度には存在していない。権力はいまやこの世界のインフラのうちに存在している。統治とはもはや政府の仕業ではない。権力とはいまや事物の秩序そのものであり、ポリスがその防衛を担っている。この「ポリス」は二義性を帯びていて、武装公務員たちからなる警察機構を指すと同時に、政治体、政府および人称的な政治をも指示するのである。代表制への信仰、革命への熱狂あるいは独裁への衝動といった人称的な政治に対する希望を狂気やニヒリズム込みで動員することによって、空虚なるインフラ権力による統治という事実を、政治＝ポリスが体裁よく隠蔽することを通して、道路が防衛されている。権力それ自体が環境的なものとなって、背景のうちに溶解してしまった(7)。こうした不可視委員会のインフラ権力論は、ロベルト・ユンクの『原子力帝国』や松田政男の『風景の死滅』を連想させもする。

07

カール・シュミットは『政治的なものの概念』の中で、友敵決定できる主権的な政治的統一体、人称的な政治に対する否定的地平として、体系的な仕方で政治的なものを回避するリベラリズムの特徴を描き出して見せた。リベラリズムによる政治的なものの存在忘却と徹底した暴力の忌避とに対する指弾は国民社会主義と政治的現実主義との同盟の世界的な流行に棹さすものとなったが、ブレトン・ウッズ体制下における軍事ケインズ主義の時代が終わり政治的現実主義が統合された世界資本主義に擦り寄る今日にあっては、唯一無二の主権的存在となったインフラ権力の起源に、いまや隠蔽され忘却させられてしまった根源的な暴力が介在していたことを逆説的に想起させることになる。資本主義の起源における暴力の歴史と云えば、マルクスの本源的蓄積をめぐる議論がすぐに思い起こされるであろうが、ここで銘記しておかなければならないのは、昨今、言及されることの多いジョン・ロックのスキャンダルをめぐる問題である。

08

ロックのスキャンダルはリベラリズムのスキャンダルであり、リベラリズムのスキャンダルはリバタリアニズムのスキャンダルでもある。アリエズ＝ラッツァラートはロックのスキャンダルについて、次のように端的に記している。「ロックはカロライナを所有する貴族の秘書であり、かれが起草に加わった憲法の規定により、そこに領地を所有していた。この憲法によれば、『カロライナのすべての自由民は黒人奴隷に対し無制限の権力と権威を行使することができる』とされている。一六七三年以降、かれは通商・植民地委員会の主事を務めているが、同時にいくつかの株式会社の株主でもあった。このうち王立アフリカ会社は黒人奴隷貿易を経営し、西アフリカにおいてはその独占権を獲得していた」(8)。「ロックは本当に政治的リベラリズムの始祖であるのか？」というアリエズとラッツァラートによる問いはまじめに受け取られるべきものであるだろう。天皇制を容認しながらリベラルを自認することのできる反差別運動とはいったい何なのか。リバタリアンがみずからアナーキーに到達することなく修正主義的なアナーキストであり続けることができるのはいったいどうしてなのか。独占の国家による容認たる私有財産制に立脚した資本主義、すなわち実際上の混合経済と自由な市場経済との意図的な同一視が存在している。政治的現実主義の粉飾を施された権威主義的リベラリズムはファシズムと表裏一体のものである。

09

スキャンダルの暴露はパレーシアの政治に接続しうる。フーコーは「啓蒙とは何か」と題された小論で啓蒙をめぐるカントのテクストを検討しながら、幼年期から脱出してオトナになることとしての啓蒙が、君主制への服従をその条件としていたと指摘した。カントは理性の公的使用と私的使用とを巧妙に切り分けることによって、政治的なリスクを回避した。啓蒙とリベラリズムとに共通する、セキュリティを口実にして起源的暴力との対決を回避する態度が啓蒙とリベラリズムの弁証法を作動させる。

10

啓蒙の弁証法の機制については、アドルノとホルクハイマーが詳述したとおりである。リベラリズムの弁証法とは、自由放任の帰結としての自己責任論の蔓延、棄民である。ネオリベラリズムの統治は、アジア的な専制に限りなく近づいていく。老子曰く、「天地は仁ならず、万物を以って芻狗と為す」[9]。

夢見るファシズム

11

白川静は「道字論」において、異族の首を祭る「祭梟」の習俗に触れながら、「道」という漢字の起源を、異族の首級をぶら下げて歩く様態に求めている[10]。白川の叙述は祭梟の呪術的意義を強調しており、未知の土地の神霊に対する心理的防御の機制が祭梟という儀礼に読み込まれている。このような呪術的儀礼には、自然への恐怖からの人間の解放という「啓蒙」の欲望が内在しているように思われる。それと同時に、「祭梟」の習俗は、梟首してもかまわない異族の存在の承認、人種主義がロジスティクスの出現と軌を一にして存在していたことを再確認させる。道路の整備と交通警察の組織化は、そこを輸送されるモノには速度とセキュリティとをもたらしたが、ヒトの心理から恐怖を取り去ることはできなかった。

12

リベラリズムの統治はポリティカル・コレクトネスに配慮して、人民を曲がりなりにも合理的行為者として取り扱う。これに対して、例えば、後発帝国主義国家の統治におけるようにロジスティクスが未発達であった場合、ロジスティクスそのものが焦燥感に包まれる。政治的に正しい総動員に対して、政治的に正しくない総動員が出現する。政治的に正しくない総動員は人民の理性のみならず人民の狂気をも動員しようとする。そればかりか、動員するための狂気を無から産出するためのある種の政治的錬金術すら発明され得る。このような動員の加速体制こそがファシズムである。リベラリズムの統治が啓蒙を通じて合理化された人間理性に対する動員機構であるのに対して、ファシズムの統治は見境がなく無節操である。

13

クリストファー・R・ブラウニングは、ポーランド方面でのホロコーストの実行部隊であった第一〇一警察予備隊の活動を記録した『普通の人びと』において、「ホフマン大尉の奇妙な健康状態」について記している。一九四二年の十月初旬、ヴォルフガング・ホフマン大尉の指揮する警官たちによるコニスコヴォーラでの作戦行動の結果、たった一日で一一〇〇から一六〇〇人のユダヤ人が殺されてしまった。当時ホフマンは下痢と激しい腹痛の発作に悩まされていた。彼はそうした症状を赤痢ワクチンの接種のせいにしていたが、彼の部下たちの見立てでは、ホフマン大尉の腹痛の発作は、「いつも決まって、中隊が不快な、あるいは危険な行動に参加するかもしれないとき、起こる」[11]ものだったようだ。ホフマンの過敏性腸症候群はおそらく心因性のものであっただろうとブラウニングは記している。ナチのホロコーストに加担した人の多くは筋金入りのファシストであったというよりも、反人道的な命令の実行に良心の呵責を感じることのできる普通の人びとであったのかもしれない。だが、ファシズムとは人びとの人称性に頓着しない物流の一体制なのである。

14

矢部史郎の『夢見る名古屋』はファシストの都市計画によって住民の知覚にどのような事態が引き起こされるかを描き出した好著である。矢部はモータリゼーションの社会的効果として、トラック野郎の交通戦争、勝田清孝事件、口裂け女伝説の三つの事例を引き合いに出す[12]。ファシズム都市名古屋は加速されるロジスティクスとしてのモータリゼーションを通じて、名古屋人民のあいだに狂気を産み出した。矢部が列挙した諸事例は、儒教的ポリコレが忌避するところの「怪力乱神」への注目として整理することができる。高速道路に対するトラック野郎たちの反乱の萌芽と速度そのものに対する服従の様態、自動車の利用によって広域化された連続殺人鬼の暴力と警察組織の連携強化、駐車場の増大による空間知覚の変容に随伴して現象する怪異、幽霊、妖怪とその噂の全国的な伝播。怪力乱神の出現には浸透するインフラ権力に抗する蜂起、アジア的意味における革命の機運があるが、ファシズムは回路Bとしてこれらを捕獲し再回収することで自らの養分へと変質させていく。

15

賭博者には二つの類型がある。テラ銭を支払って何時間か遊ぶことができれば、それで満足して帰っていく旦兵衛型。もうひとつはテラ銭を予め負け額に算入した上で、必ず勝って帰ろうとするタイプ。このタイプは破滅型である。一日の始めから、負けを取り返そうとして焦っているから。この連中は毎度一日の終わりには倍プッシュだの泣きの一回などと云い出すことになる。賭場で倍プッシュしたことのある者ならば誰でも、速度のもたらす知覚の変容の何たるかを知っているはずである。

16

ファシズムの戦争機械は必然的に決戦主義を志向することになる。人民の狂気が備給されてもなお、ロジスティクスそのものが狂気に取り憑かれていることによって、ファシズムのロジスティクスがリベラリズムのロジスティクスを追い越すことは決してない。ファシズムの戦争機械は常に不利な条件から出発し、自滅へと向かうことが運命づけられている。「日本のカミカゼは軍事エリートの神人共働説的なこの夢を空中で完成するが、彼等は自らの意志で兵器—乗り物ごと自分をバラバラにし、花火のラストシーンを演じる。というのも、身体—速度の究極のメタファーは、爆発の炎の中での最終的消滅なのだ」(13)から。

幼年期への戦略的退却

17

インフラ権力によるテロルを回避するために政治的現実主義を生存戦略として採用すること、政治的にオトナになること、怪力乱神を語らないこと、あるいは自発的隷従。果たして現状は、縮減された生に与えられるエサとして十分なセキュリティが享受されていると云いうる情況なのか。神権政治を取り仕切るアジア的専制君主とそのポリスによって鄒狗のごとく鞭打たれ続けているわれわれとしては、司祭と社稷との彼岸にある自然に直接アクセスする回路を打ち立てていかなければならない。

18

『荘子』応帝王篇は有名な混沌のエピソードによって結ばれている。「南海の帝を儵と為し、北海の帝を忽と為し、中央の帝を混沌と為す。儵と忽と時に相い与に混沌の地に遇う。混沌の之を待つこと甚だ善し。儵と忽と混沌の徳に報いんことを謀りて曰く、『人は皆な七竅有りて以て視聴食息するに、此独り有ること無し。嘗試みに之を鑿たん』と。日に一竅を鑿つに、七日にして混沌死せり」(14)と。儵と忽は速度を意味する。ヴィリリオ調に読めば、速度体制がもたらした知覚の変容によって混沌が死んでしまった話ということになる。このエピソードから引き出したい概念は二つ。減速と「待つ」こと。

19

加速するロジスティクスについていかないために、時には意図的な減速が必要だろう。この場合参考にすべきなのは、撃剣における奇襲攻撃のイメージをもって詩作をおこなったボードレールよりも、「現代生活の作家」の否定的地平として描かれることになった遊歩者の方である。後にはテーラー主義によって駆逐されることとなった遊歩者たちの習慣についてベンヤミンは次のように述べている。「遊歩者は、ひとりの個性として、有閑生活を送る。そうすることで遊歩者は、人びとを専門家にしてしまう分業というものに抗議する。同様に遊歩者は、人びとのあくせくぶりに抗議する。一八四〇年頃には一時、亀をパサージュでの散歩に連れてゆくのが作法にかなったこととされた。遊歩者は自分のテンポを亀に決めさせるのを好んだ」(15)。制御不能な減速との戯れ。自然そのものである亀の速度。

20

気候は気象に先立つ。あるいは気象の彼岸には気候がある。混沌の徳で称賛されたのは「待つ」ことだった。ただの待機ではなく、知覚の局面において「待つ」ことについて考えたい。この惑星上では、ほんとうに膨大な数の人々が国家装置の発表する気象予測に依存して生活している。まるで気象庁こそが国家装置の中枢なのではないか、と思われるほどだ。大本営での気象予測は随時更新されてわれわれのもとに届けられ、それによってわれわれは外出の際に、傘を持ったり持たなかったりする。この事態にわれわれはもっと戦慄すべきなのだ。気象とは、陰陽の二気、寒暖の流れと淀みとを合理的に解釈し形象化することである。気象予測とは、われわれロジスティクス端末に対する軍事的な作戦指令、表象化された秩序である。われわれがルーティンとしたいのは気候の習慣である。気象が気を象ることであるのに対して、気候とは気を候つことである。気候の候とは斥候の候である。斥候とは、うかがい、まつこと。気象予測に急き立てられるのではなく、雲や風を候って、判断したい。混沌に寄り添うための技芸。

21

ドゥルーズから引用する。「わたしたちが若干の秩序を要求するのは、カオスから自分を守るためでしかない。それ自身から逃れる或る思考、逃げてゆく或るいくつかの観念（中略）そのような思考、そのような観念よりももっと苦しく、もっと不安にさせるものはない。それらこそ、その消失と出現がかち合う無限の変化可能性なのである。それらこそ、無色かつ沈黙の無の不動性と混じりあっている無限速度たちである。しかもその速度たちは、本性も思考もないこの無を駆け抜けるのだ。それは時間に比べて長すぎるのか短すぎるのかがわたしたちにはわからない瞬間である。わたしたちは、まるで動脈がずきずきするように、痛みにつらぬかれる。わたしたちは自分が手にしている諸観念を絶えず失う。だからこそわたしたちは、いくつかの揺るぎないオピニオンというものに、こんなにもしがみついているのだ」(16)。

22

オピニオンにしがみつくオトナたちがいたるところでロジスティクスを強化している。オピニオンにしがみつくのをやめて自然に直接アクセスするために、われわれは知覚のドア、情動のドア、概念のドアを開け放っておくべきなのだ。どのドアもおそらくはわれわれの幼年期に通じているはずだ。ウィリアム・モリスは『ユートピアだより』の中でハモンド老人にこう語らせている。「想像力に満ちた芸術作品を生み出すのは、われわれのなかの子どもらしい部分なんだ。子どものころというのは、じつにゆるやかに時間が過ぎていくものだから、なんでもする時間があるように思える。少なくとも、われわれが幼年時代にたちもどったことを喜ぼうじゃないか」(17)。幼年期へ退却せよ。

23

ただ、ロジスティクス末端の現実生活では、あいかわらず狂気への通路も開きっ放しになっている。この原稿を書いた最終日の黄昏時、近所の定食屋で夕食をとった帰り道、国道一号線沿いの歩道での出来事だ。私がフラフラと坂道を登っていると、後ろから自転車のくる気配がする。歩道の右端を歩いていた私は左側へ向けて斜行した。すると、ちょうど私の進路と交差するように、私の後ろを歩道の左側から右側へと斜行する者がある。体がぶつかったわけではない。鞄を手に下げた営業マン風のスーツ姿の男。私と男とが最接近したと感じた刹那、耳元で「……ちまえばいいのに」という声がした。私の右脇を自転車が追い越していく。先程の言葉が「轢かれちまえばいいのに」だと思い当たった私が、「あぁん?」と声を出して男が歩いているはずの右側を振り返ると、そこには誰もおらず、男の姿はかき消えていた。道路は恐ろしい。

註

（1）ポール・ヴィリリオ、丸岡高弘訳『ネガティヴ・ホライズン』産業図書、二〇〇三年、二九頁。
（2）同右、三一頁。強調はヴィリリオによる。
（3）ジル・ドゥルーズ＋フェリックス・ガタリ、宇野邦一他訳『千のプラトー』下巻、河出文庫、二〇一〇年、一六一頁。
（4）金谷治訳注『新訂　孫子』岩波文庫、二〇〇〇年、四六頁。
（5）ヴィリリオ、前掲書、三二頁。
（6）同右、三三、三四頁。
（7）不可視委員会、HAPAX訳『われわれの友へ』夜光社、二〇一六年、八二－八七頁。
（8）エリック・アリエズ　マウリツィオ・ラッツァラート、杉村昌昭＋信友健志訳『戦争と資本』作品社、二〇一九年、五九－六〇頁。
（9）蜂屋邦夫訳注『老子』岩波文庫、二〇〇八年、三一頁。
（10）白川静『文字逍遥』（平凡社ライブラリー、一九九四年）を参照。
（11）クリストファー・R・ブラウニング、谷喬夫訳『増補　普通の人びと』ちくま学芸文庫、二〇一九年、一九五頁。
（12）矢部史郎『夢見る名古屋』（現代書館、二〇一九年）を参照。
（13）ヴィリリオ、市田良彦訳『速度と政治』平凡社ライブラリー、二〇〇一年、一七二頁。
（14）福永光司＋興膳宏訳『荘子　内篇』ちくま学芸文庫、二〇一三年、二七七、二七八頁。
（15）ヴァルター・ベンヤミン、浅井健二郎編訳「ボードレールにおける第二帝政期のパリ」『パリ論／ボードレール論集成』所収、ちくま学芸文庫、二〇一五年、一五二頁。
（16）ドゥルーズ＋ガタリ、財津理訳『哲学とは何か』河出文庫、二〇一二年、三三七頁。
（17）ウィリアム・モリス、川端康雄訳『ユートピアだより』岩波文庫、二〇一三年、一九三頁。

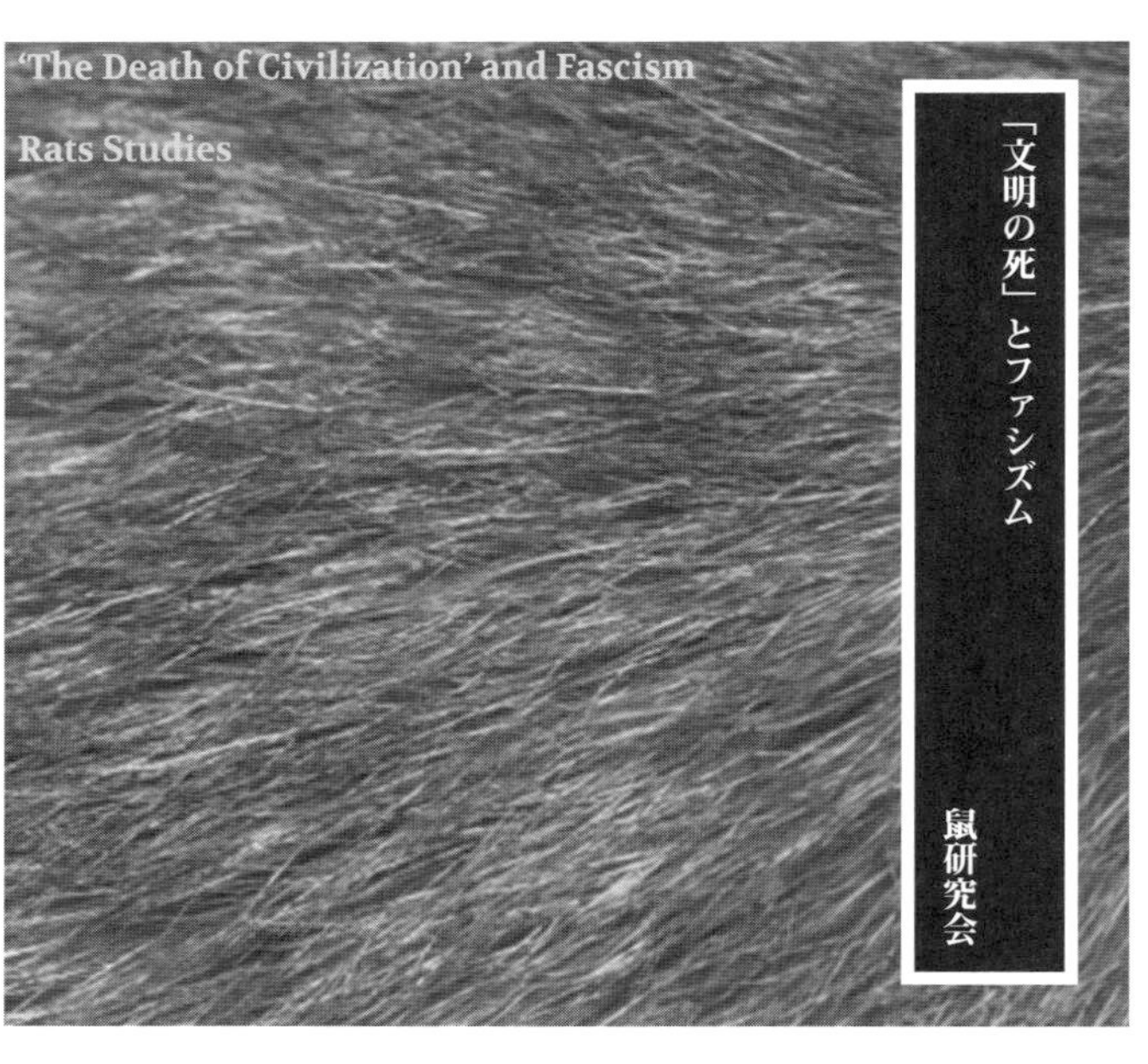

「文明の死」とファシズム

鼠研究会

ニーチェの生政治的パースペクティヴがもつ並外れた重要性は、生政治的生や身体を政治力学の中心に据えた点のみにあるのではなく、人間的生の定義が、来たるべき数百年の論争でもっとも重要な対象となるだろうということをきわめて明晰に予見している点にある。(エスポジト)(1)

現在、資本主義はシュトレークが「全身障害」と呼ぶ全面的な危機にまみれながら「終わりなき終わり」の過程に入っている。しかし資本主義が戦争機械と一体化している以上(アリエズ、ラッツァラート)(2)、その「自然」死もまた不可能なのだ。シュトレークは資本主義がその新自由主義化とともに民主制との蜜月を終わらせたと論じる(3)。後述する様に、資本主義の末期にあたって植民地主義に起源をもつ人種主義が全面化してくることは必然である。もはや民主制的近代が前提としてきた諸価値も捨てさられる。天賦人権説が自民党議員に破棄されたことはその一端に過ぎない。

動物が、そして人新世が、あるいはオブジェクトが思想的主題だけでなく実践的な主題として前景化してきたのが、この事態と同期していることはあきらかである。「文明の死」(不可視委員会)とともに「人間」はついにリミットに達しようとしている。ファシズムは人間が臨界に達した時に登場する。それゆえ20世紀のファシズムはニーチェを利用した。ニーチェは「神の死」とともに「人間の死」を宣告したからだ。

ハイデガーは「エルンスト・ユンガーへ」というテクストにおいて以下のように書いた。「第一次大戦の本質的な経験に基づいて、ユンガーはニーチェの形而上学的な世界投企を先鋭化し、硬化させて、力への意志としての世界現象への自立的な眼差しにおいて語り出した。この根本現象は、一九一四年ごろ初めてレーニンが『総動員』という概念と語でもって意識の上にもたらしたものである」。「力の本質は、無制約で完全な支配を強く求めるので、それ故にその本質への、力の現実化という根本的な出来事は、『総』動員である。しかしこれは、その最も決定的な要求と強化とを世界戦争の内に見出す。それ故、レーニンは一九一四年に世界戦争の勃発に歓声を上げたのである」(4)。ハイデガーはこのテクストでユンガーを「ニーチェの唯一の真正な継承者」とよんだ。ならばレーニンもまたある意味でニーチェの継承者なのだ(5)。ただしそれらは「ハイデガーのニーチェ」である。「闘争が何をめぐって行われているかは、実ははじめから決定されている。実はいかなる目標も設定しない力そのものなのである。(略)ここでもなお目標という言葉を用いるなら、この《目標》は、人間の無条件な地球支配の無目標性である」(6)。この「力」への意志こそが保守革命(とそれを完成させたナチズム)、ボルシェヴィキ、アメリカ資本主義を「総力戦」に駆り立てたのだ(日本においても同様の事態が見られる。京都学派、日本浪漫派、北一輝、そして大本教をはじめとする新宗教。これらはときに対立しながらもそれぞれのニーチェを内包させ、それを破産させたのである(7))。

ドゥルーズ＝ガタリにおいて国家とは土地、労働、税という三つの装置による捕獲であった。シベルタン＝ブランによれば「戦争機械の仮説はこの歴史的プロセスのなかに挿入されると、資本の本源的蓄積を、国家の抑圧力能の本源的蓄積によって二重化するのである」(8)。資本主義の生成期とは同時に総力戦の政治的力能の「本源的蓄積」の過程であり、そこにおいて「国家－形式への戦争機械の統合と、社会的生産の内在性のうちへの国家装置の統合」はわかちがたいものになる。ここで「領有された戦争機械それじたいが政治の直接的な道具になるばかりではなく、社会化された生産諸関係のなかへとより大規模に国家を組み込んでゆく直接的な道具となる」。この全面化は「本源的蓄積」後の総力戦の政治として実現される。20世紀の前半はこの過程である。フーコーは「人種主義とは権力が引き受けた生命の領域に切れ目を入れる方法なのだ」(9)と規定したが、しかしアリエズとラッツァラートによればフーコーは植民地主義への批判を欠落させていた(10)。たえざる植民地化なしに、資本主義は維持されないし、植民地支配は階級支配のモデルだったのである。人種主義は捕獲のはじまりに内包されていたのであり、それゆえその破棄は国家そのものの廃絶を要請する。

総動員体制は戦後体制の基礎となり、ファシズムもそこに包摂されていった(11)。総力戦体制は世界的戦争機械へと変容して維持される一方、支配的体制はネオリベラリズムへ移行してきた。この移行が資本の金融化、社会の情報化に対応し、そのまま「規律社会」から「管理社会」への、『シネマ』的には「運動イメージ」から「時間イメージ」への転換に対応する。その転換に決定的だったのは核＝原子力の「発明」とそれによる制覇であった。この「発明」はナチズムと連合国の合作によるものであるが、ハイデガー的にいうなら「徴用」＝「動員」としての技術の結果でもある(12)。原子力は文明の不可能性であり、同時に文明をもたないことの不可能性として人類を二重に拘束する。そのなかでわれわれはいまだに「無条件な地球支配の無目標性」にありながら、その破局を眼前にしつつある。

「ナチズムによって開かれた問題――怖ろしい裂け目――が最終的に閉ざされることはけっしてない。それだけでなく、ある点で、近代性の境界を越えるたびに、問題はわたしたちの状況へふたたび近づいているように見える」(13)。エスポジトにとってリベラルとファシズムは近代を突き動かしてきた「ペルソナ」という装置を共有している。「このペルソナの機械こそが、それ自身から生を司法的に切り離すとともに、生を、生きるべきものとその反対の死ぬことができるものという事前の決定がなされる戦場に仕立て上げる」(14)。

この「共有」は日本ではリベラルの天皇制への屈服としてあらわにされた。リベラルにとってはアンチ・ファシズムもロールズ的なシチズンシップの実現でしかない(15)。リベラルの政治は生政治的統治を構成する。「ひとびとは、『人間が〜』と語るが、そう語るひとはみないレイシストであり、セクシストである」(船木亨)(16)。

ニック・ランドもまたリベラルとファシズムの同質性を厳しく批判していた。「ナチズムは道徳性そのものである、ヨーロッパの尊敬されるべき歴史の継承者である」(17)。そのニック・ランドらが体現するのが生物学に依拠した人種主義であり、民主主義に代わる封建制であるとしたら、これもまたファシズムでなくて何だろう。しかしこのオルタナ右翼としてのファシズムは極右的なファシズムとは明らかに異なっている。その最大の特徴は前者がリバタリアニズムをその核心としていることである。ランドはクラッカーと呼ばれる白人貧困層に依拠するが、クラッカーはルサンチマン的破壊性そのものなのだ。ランドは「生物学的多様性」に基づく奇怪な人種主義を打ち立てようとしているが、それが旧ファシズムと最も違うのは「人間の臨界」に直面しながら人間を守護しようとしているのに対して、新ファシズムはポストヒューマン的であることだ。「人間、それは乗り越えられるべき何かだ」(18)。旧ファシストが大戦期に捨て去ったニーチェがここに降臨する。

いま登場しつつある多くの思潮がこのファシズムとして理

解することができる。マルクス主義に代わって反植民地主義を体現するISは、リバタリアニズムとは対極にありながらも、西欧的人間と訣別している点ではこれもまたオルタナファシストなのだ。

リベラルと旧ファシズム、そして新ファシズムが対立しつつも補完しあうという構図のもとで、国内外のあらゆる水準において収奪とそれと表裏をなす日常的なジェノサイドが進行している(19)。アリエズとラッツァラートによれば、現在行われているのは「産業戦争を住民のなかでの戦争に置き換えること」であり、「『住民中心の対反乱作戦』は無限の鎮圧と同義である」(20)。これはフラクタル内戦と名づけられる。しかしアリエズたちはこれに対して「自律と独立を得ること」、「自らを主体化する自由」を対置するにとどまっているが、それではリベラルと変わらない。それより、彼ら自身がその書の末尾でいうように「戦争のなかの戦争」を追求すべきである。そして「戦争のなかの戦争」とは世界内戦が生み出した難民たちの生なのだ。

リベラルは本質的に新旧のファシズムと闘うことはできない。これを解さないがゆえに左派は凋落した。リベラルを前提とするかぎり、左派は議会政治を拒絶するなら、ラディカル・デモクラシーを選ぶしかない。ランドの弟子たるフィッシャーはランドの地獄を前にラディカル・デモクラシーという煉獄を選び、そしてこの世界から退いた。ラディカル・デモクラシーは左派ポピュリズムとして延命するが、これはポスト・ファシズム(トラヴェルソ、酒井隆史)の一形態である。一方、リベラルを拒絶しても戦争機械がなければリバタリアニズムに回収されるだろう(21)。日本のアナルコ・ファシストやレーニン主義者たちはここにとどまる。問われているのは、これらを突き抜けていくことだ。そこで賭けられているのはファシストたちからニーチェを奪還することであり、ニーチェとともに戦争機械をつくりだすことなのだ。

不可視委員会に似せてランドは離脱を、そして断片化を語る。しかしその離脱とは個人的な分離でしかなく、断片化とは権力の分散でしかなく、加速主義者のアンチ・ヒューマンは進化によるモンスターの誕生を妄想することでしかない。新ファシストもリバタリアニズムを基礎にしているかぎり、実は身体に対する精神の優位を、つまるところ自由意志に依拠するニヒリズムを体現しているにすぎない。そして自由意志とは「人間が生み出した超越への意志」(22)として、生を封じ込める最大の反動である。これに抗することは自由意志を生み出す様相そのものを減算し、身体を戦争機械たらしめること(23)である。そしてそれこそが外部を開く。ファシストたちが開こうとして決して開くことのなかった外部を。

エスポジトは、リベラルとファシズムの同一の地平として、近代の政治哲学において主体が「法的責任の中心と、この法的責任の管理下におかれる身体的領域とのあいだの二重化によって特徴付けられる」(24)と論じる。エスポジトはこのモデルと相容れないものとして『千のプラトー』における人格概念への攻撃を支持するのだが、そこで最も重要なのは「動物への生成変化」なのだ。それこそが「われわれにとってもっとも確かな現実」だからだ。

動物への生成変化とは「逆行」である。ベンヤミンが歴史を逆転させたようにすべてを逆転させ逆行させせなければならない。その際、藤原辰史の『分解の哲学』(25)は大きな示唆を与える。ドゥルーズが愛するフィッツジェラルドの一節「すべては崩壊の過程である」を連想させるかのように藤原は書く。「生まれたときにはすでに分割と崩壊に向かっている、というより分割し崩壊し始めることを生まれるのではないか」。「私たちは足し算や掛け算というよりは、引き算であり割り算の世界を生きているのではないか」。藤原はネグリ＝ハートの〈帝国〉が「腐敗」に着目したことを評価しつつも、〈帝国〉が外部性をその設定から除去しているがゆえに決定的な限界をもつことを批判して、〈帝国〉が「装置」といわれるべきであるとする。これがティクーンと共有される概念であることはいうまでもない。「装置を打ち倒すために、あるいは粉砕するために装置の真似をして、結局飲み込まれる。歴史はその繰り返しだった。そうではなく、装置が扱いきれない分解過程を促進させること」。生産を基礎にするかぎり労働を優位におくファシズムと決別することはできず、逆に分解からとらえなおすことは人種主義を経由しない人間と非人間の関係を開く。同時に分解は生と死の二項対立を超えて、さらに時間そのものを逆転させる。藤原によれば時とは「解く」ことである。

「わたしたちは未来という幻想なしに政治について考えることはできない」。エーデルマンは告げた。「未来はここで止まる」と(26)。ここで要請されているのは現在を打ち砕くものとして、脱根拠化と脱様相化の運動として、「反歴史」として未来を呼び覚ますことである。エーデルマンの〝NO FUTURE〟もまた逆行なのだ。こうして加速主義＝未来主義は根底から拒絶され、ファシズムもその根拠をうしなう。これこそが「解く」こととしての時をもたらすことである。

藤原によれば「分解」はすでに身体において実践されているだけでない。その思考をもとにした『分解者たち』にはコミュニズム的な実践が紹介されている(27)。あるいは「黄色いベスト」や香港の蜂起。そこにおいても、すでに軽々と「人間」は超えられているのではないか。香港の蜂起に参加した同志はそこにおける「錯乱」を語っていた(28)。この「錯乱」は「黄色いベスト」にも共通するものであり、新旧のファシストたちの病いとは対極にあるものだ。

それらとは別の次元で、しかし決定的な「逆行」として気象が立ち現れようとしている。外部性としての気象をわれわれの政治そのものとして、現下のフラクタル内戦を闘わなくてはならない。気象においてこそファシズムも分解されるだろう。決定不可能性としてのアナーキー（江川隆男）(29)においてわれわれは「文明の死」をひきうける。そこでも気象としての、砂漠としてのニーチェが回帰するだろう。

註

（1）ロベルト・エスポジト『近代政治の脱構築　共同体・免疫・生政治』岡田温司監訳、講談社、二〇〇九年。現在のファシズムを考える際、ニーチェが決定的に重要なことは木澤佐登志も『ニック・ランドと新反動主義』（星海社新書、二〇一九年）のあとがきで指摘している。なお同書は本稿で参考にさせていただいた。また五井健太郎の訳業も参照した（「暗黒啓蒙」「現代思想」二〇一九年六月号、青土社）。

（2）エリック・アリエズ、マウリツィオ・ラッツァラート『戦争と資本　統合された世界資本主義とグローバルな内戦』杉村昌昭・信友建志訳、作品社、二〇一九年。

（3）ヴォルフガング・シュトレーク『資本主義はどう終わるのか』村澤真保呂・信友建志訳、河出書房新社、二〇一七年。

（4）マルティン・ハイデガー「エルンスト・ユンガーへ」山本與志隆訳、「現代思想・総特集　ハイデガー」二〇一八年二月号、青土社。

（5）新左翼のレーニン主義はこの文脈でこそ理解できる。ノンセクト全共闘にだけラディカリズムの栄光を帰すのは歴史的な事実とも反する。党も例外的にディオニュソス的になることがある。

（6）ハイデガー『ニーチェ』Ⅱ、細谷貞雄他訳、平凡社ライブラリー、一九九七年、三七五頁。

（7）これらについては例えば嘉戸一将『北一輝　国家と進化』（講談社学術文庫、二〇一七年）で和辻、北のニーチェ受容などを参照することができる。安藤礼二は『大拙』（講談社、二〇一八年）で西田の無を超えるものとして大拙の無限があったことを論じている。安藤によれば無の前にカオスを見出す点で大拙はメイヤスーに近しい。同書でもふれられているが京都学派で最も鮮烈なニーチェ論を展開した西谷啓治はナチを支持した。その西谷に師事したのが井筒俊彦である。

（8）シベルタン＝ブラン『ドゥルーズにおける政治と国家――国家・戦争・資本主義』上尾真道・堀千晶訳、書肆心水、二〇一八年、一五三頁。

（9）ミシェル・フーコー『社会は防衛しなければならない』石田英敬・小野正嗣訳、筑摩書房、二〇〇七年、二五三頁。

（10）『戦争と資本』七八頁以下。

（11）山之内靖『総力戦体制』（ちくま学芸文庫、二〇一五年）など。

（12）國分功一郎『原子力時代における哲学』（晶文社、二〇一九年）は原子力とハイデガーを考えるために重要な示唆をふくむ。

（13）エスポジト『近代政治の脱構築』二〇五頁。

（14）ロベルト・エスポジト『三人称の哲学　生の政治と非人称の哲学』岡田温司監訳、講談社、二〇一一年、一五七頁。

（15）綿野恵太『「差別はいけない」とみんないうけれど。』（平凡社、二〇一九年）を参照。

（16）船木亨『現代思想講義　人間の終焉と近未来社会のゆくえ』ちくま新書、二〇一八年。同書はファシズム論としてばかりでなく、ドゥルーズ＝ガタリ的な政治学としても学ぶことが多い。

（17）ニック・ランド「死と遣る」小倉拓也訳、「現代思想」二〇一九年一月号、青土社。同テクストは『アンチ・オイディプス』における「死の経験」から器官なき身体を論じる点で江川隆男の『死の哲学』（河出書房新社、二〇〇五年）に近しいが、しかし江川がそこに見出した「不死の身体」にいたることがなく、そうしてアルトーを裏切り、ドゥルーズをも見失ったのだ。

（18）『ニック・ランドと新反動主義』一一二頁。ランド『メルトダウン』からの引用。なお本来のリバアタニズムはオルタナ右翼とは無縁である。例えば、渡辺靖『リバアタニズム』（中公新書、二〇一九年）を参照。

（19）われわれは「相模原の戦争」（『HAPAX』七号、二〇一七年）においてファシズムとリベラルの敵対という構図でとらえたが、これは新旧のファシズムを未分化としたため、リベラルをとらえることも不十分であった。

（20）『戦争と資本』三四七頁。

（21）『HAPAX』今号の酒井隆史のインタビューを参照。

（22）江川隆男『スピノザ「エチカ」講義　批判と創造のために』法政大学出版局、二〇一九年、三四四頁。

（23）江川隆男『すべてはつねに別のものである〈身体－戦争機械〉論』河出書房新社、二〇一九年。

（24）『三人称の哲学』二三五頁。

（25）藤原辰史『分解の哲学』青土社、二〇一九年。

（26）リー・エーデルマン「未来は子ども騙し――クィア理論、非同一化、そして死の欲動」藤高和輝訳、『思想』二〇一九年六月号、岩波書店。

（27）猪瀬浩平『分解者たち――見沼田んぼのほとりを生きる』築地書館、二〇一九年。

（28）「香港２０１９――鏡の国の大衆運動あるいは漂移する遊行」（『HAPAX』今号）。

（29）「決定不可能性」については『すべてはつねに別のものである』を参照。

セリーヌとファシズム——戦いのあとの風景

原 智広

この世に産み落とされた瞬間から、まるっきりの歪んだ偶像に取り囲まれた。１９９９年、世紀末、阪神大震災、アンドロメダの大王、オウム真理教、地下鉄サリン事件、電子ネットワーク、情報化社会、ミクロ権力、蔓延る精神病と異常者たち、悪魔のアメリカ、自作自演とやり玉にあげられるエンパイアステートビル…すべてが嘘のような風景で、信じがたい、到底認めたくない救い難いはりぼてのような世界観であった。それらは社会の歪みが産んだ恐るべき魔物そのものであるといえ、まったくの嘘っぱちを無理矢理強要し、常に自分たちのレベルにまで引き落とそうと躍起になる。それらを誤ったものとしてすべて頑に撥ね除けてきた。

私たちは革命という「夢物語」に騙され続けた。ルイ＝フェルディナン・セリーヌは『夜の果てへの旅』を執筆し、独自の文体を手に入れ、あらゆる「社会」に絶望し、一握りの望みを託してソビエトに発ち、熱狂と純粋な眼差しを従えて「革命」を視察した。革命とは名ばかりの「官僚制全体主義社会」にセリーヌは「革命」なんか見いだせるはずもなかった。

共産主義の魅力、正直認めて莫大な功績は、私たちの前に、やっと「人間」の仮面を剥いで見せてくれたことだ！　人間から言い訳を取り除いてしまったことだ。何百年にもわたって私たちは騙されつづけてきたのだ、そいつに、人間に、その本能とか、苦しみとか、ご大層な目標とか呼ばれるしろものに…たわいもない夢をみさせられ…底なしだ、穴蔵みたいに、どこまでもこいつは、人間は私たちを騙くらかすか！　…大いなる謎。こいつは常に警戒を怠らない、用心深く身を潜めて、取っときのアリバイのかげに。つまり「強者による搾取」。これなら天下ご免、文句のつけようのない…。憎むべき制度の殉教者！　キリストと同格！

（『懺悔』ルイ＝フェルディナン・セリーヌ　生田耕作訳）

セリーヌは革命とは名ばかりの共産党の搾取に絶望した。スターリンのような腐ったオツムは今でもどこにでも目にする。

『皆殺しの戯言』が出版されるやいなや、左翼の牛耳る市役所とユダヤ系主任医師の掌中にあるクリシーの無料診察所での自分の立場が耐え難いものとなっているということを、セリーヌははっきりと感じたのだろう。何故セリーヌはこのような数々の罵詈雑言、ファシストめいた、反ユダヤ主義めいた、ものを書くようになったのか。『夜の果てへの旅』にも『なしくずしの死』にも、こういったありきたりな差別は何ひとつ見当たらない。セリーヌの小説にはユダヤ人は一切存在しなかった。

セリーヌは『旅』の執筆後、きちんとしたフランス語で書けることを証明するために、別な言葉で執筆する予定だったらしいが、出版者ロベール・ドノエル（彼は後に暗殺されたらしいが、未だに真相不明である）がその方向へ進むのを思い止まらせた。セリーヌの目論見は記憶と創造力、なりふり構わない錯乱、狂気、心の昇り、自分のヴィジョンを確立し、母国語を折り曲げ、ずたずたに切り刻むこと、自分の回想を自分の精神状態と同じように悪夢に仕立て上げること。

作家とは本来的に孤独であり、誰もあてにせず、自分のヴィジョン、記憶、悪夢、白紙、闇に閉ざされた考えを処理し、自己に完全に没入すること。ひとりぼっちだった？　誰が？　何に対して？　どこにだって誰もいないいじゃないか。記憶はあるようでない。何もない。

当然、セリーヌも話しかけてくる連中に愛想を振りまくことはなかったし、罵詈雑言を浴びせかける相手は目の前にいる誰でも良かった。孤独であるからといって選別せずに愛想を振りまくほど愚かではない。


セリーヌはかつて語った。「年を取ればさきが見える筈。それが何もないいんだ。仕上げたい情念があるばかり、死と密接に繋がっている情念が」。

とりわけ、私は『なしくずしの死』に登場する雑誌『ジェニトロン』の発明家クルシアルが好きだ。単純な言い方だが、人間の愛すべき部分と憎悪すべき部分が混在している私が知る限り最も魅力的な小説の登場人物である。


「わしは自分の汚物ん中に漬かってるんだ！」

彼は平穏や安息を許さない、その気持ちはよく分かる、退屈であるくらいならまだ地獄のほうがマシってもんだ。ひとつ断言するならば、「呪われた作家」と命名されたセリーヌだけが呪われているのではなく、我々全員を含めた世界全体が呪われており、我々全員に投げかけた告発であり、呪詛なのだ！

アントナン・アルトーはこの世は黒魔術の要塞だと言ったが、現実にいまここで、この瞬間でさえ、アルトーが言ったその「呪いの要塞」は複雑に電信し、絡み合い、0地点へと決して回帰することなく、生命の運動機能を失った世界の循環機能は、ますます救い難く絶望的なものとなっているということをまずここに書き留めておかねばならない。いつの時代もよりいい時代というものはない、だが、密度に変化はあり、より革命は実現不可能で絶望的となる。既に発覚したときには末期状態であるということを一体誰が指摘したのだろうか？　いいや、何度も指摘はなされたのだ。

セリーヌは対独ナチス協力者だったって？　ファシストだ

った？　反ユダヤ主義者だったって？　うるせえ！　殆どのフランス人はセリーヌが嫌いだって？　そりゃあそうだ、セリーヌは君らの矛盾に満ち満ちた視点を怒りと呪詛によって丸裸にしようとしたのだから。狂った神のような熱病に冒されながら遥かに超越した視点で罵詈雑言を機関銃のようにぶっ放し、人類と真っ向から対峙した！　歪みから産まれた存在…ああセリーヌ…世界の不幸をひとりで背負ってしまったなんて…なんてことだ！　こんなチープなおとぎ話みたいな劇を閉幕させたいよそりゃあ俺だって、ブラックホールに突っ込んで、惑星をポケットに仕舞い込んで、あばよ！　あばよ！　なんて愉快なことだろう。崩壊後の大いなる神々に「白痴」の笑いを…ジーザス！

フランスの作家、ルイ・フェルディナン・セリーヌは『夜の果てへの旅』『なしくずしの死』という大傑作の他に『死体派』『虫けらどもをひねりつぶせ』など、かなり過激な反ユダヤ主義（対独協力者、ファシストとでも言えるような）のパンフレットを書いている（ちなみにこれらユダヤ人に関する書物は日本以外の国では発禁処分になっている。つい最近の話だが、フランスのガリマール社で出版する運びだったが、それも中止になったようだ）。

アメリカのセリーヌ研究者ヒルトン・ミンダスは「1938年に、ユダヤ人にひどい毒舌をあびせかけるという事は、ヨーロッパという満員の劇場で、ヒットラーの狂信者達の声に和して、『火事だ!!』と叫ぶようなものだ。」と言っている。

結果的にセリーヌは対独協力者とみなされ、刑務所にぶちこまれる。（実際にはセリーヌはナチ党から金銭などの類いは全くもらっていないし、無論、ナチ党から原稿の依頼があったという事実もない。無論のことセリーヌがファシストであるわけがない）このことを踏まえると、彼の反ユダヤ主義はそんな単純なものとは思えない。確かにセリーヌの両親は商売をしていたので、少なくとも両親はユダヤ人を嫌っていた。それは事実のようだが。

セリーヌの根底には途轍もない人類愛がある、巨大で、獰猛で、そいつが彼の神経を刺激し、熱狂的に暴れ狂い、一端思い込むと彼は留まるということを知らない。ユダヤ人を槍玉にあげ、優生学という白痴じみたまがいものの学説を、彼独自の文体を用いて手術しようとした、戦争に熱狂している人類を治癒するために。セリーヌは実際に作家でもあり医師でもあるが、セリーヌはユダヤ人を手術道具に使い、戦争をやめさせるという目論みに失敗した。その意味でセリーヌはヤブ医者だった。

だが、セリーヌは偽善者ならぬ、自分を敢えて悪くみせようとする偽悪者である。「夜の果てへの旅」「なしくずしの死」には端的に言えば人間は「糞（メルド）」だというテーマがある。セリーヌが皮肉屋で偽悪者であることを踏まえればこれはそのままの意味にとってはならない。ただ、「人間は糞だ」が、「ユダヤ人は糞だ」に転換してしまっては、（人間には無論のこと作者である自分も含まれているのであるから、読者としてはまだ救いがある）ユダヤ人を単に侮辱していると捉えられ、ユダヤ人たちはセリーヌに大激怒し、セリーヌをデンマークまで追放した。そして、平和主義者セリーヌは人類の手術に失敗した。実際、セリーヌは低所得者が集まる地下街クリシーで、無料で患者たちの診察をしていた。そのエピソードはあまり知られてはいないだろう。

不安に駆られつつ…熱に浮かされ…怒りに任せて書いた…修正することもなく…慎重さも節度も脈略ないままに…心をぶちまけ…怒りを抑えつけるようにして…驚くべき速さで支離滅裂な言語を書き殴り…警戒態勢を促し…憎悪を全世界に声高に言い放ち、取り返しのつかない戯言を発し…泣き叫ばんばかりに身を震わせながら…高笑いに笑う茶番好きの彼…ここにあるのは根拠のない…無責任で…差別的で…ときとしては夢幻的な言葉だ…自分の怨み…過去の恥辱…苦々しい思い…プチブル的な幻想が存分に披瀝している…自分の耳に聞こえる幻聴と…自分の世界から隔離し…物事を正しく推し量る妨げとなる…頭痛のとばっちりともなっている…まるで呪いのように彼につきまとうことになる、反ユダヤ主義…ファシズム…この告白の書…他者を呪うため…ユダヤ人…共産主義者…フリーメーソン…ロシア人などすべての他者を…そして全世界を救うためだった…どんな大胆不敵なものでさえ後ずさりするように、気が狂う程冷たい声で挑発し、カオスから出現せしめてやった一存在という報復で、眼には永遠の不正を確かに像としてとらえ、狂気沙汰が発作的であろうとも

尋常なる位置に戻してやり、高らかにその光の一撃で偶然だったと、興奮で疲れ果てても何度もくりかえして、ペテンを狂信の心で源なる老いたる海へと誘致させ、生の在り処を常に探求することが唯一時間の所在をあなたのものへと出来ることであろう。そうとも、喜んで、大騒ぎ出来る、大混乱の地獄、監視の社会、絶対的な価値なき屍の優生学、殺し屋の文体をすっぽり被って模倣して、何もかも忘れて、とにかく、顔を隠してる、俗物ではないと言いたげにつまり普通じゃない、ファシストの残党どもは、下宿にやってきて、嘘汚れた契約書をちらつかせながら、根こそぎ金を奪おうと、毎日毎日イデオロギーに頭がやられちまったかと思いきや、今度は物質だ、商品だ、どこの国でも、ファシストの宣伝担当はいい気になって、虐殺を自慢する、汚い歯を見せながら俺はすかさず歯磨き粉を売る、つまりゲリラ戦、おおざっぱな戦争状態、喜劇的なアウトロー、大金持ちになろう、しつこく何度も、それしか考えない、セリーヌはビジネスマンじゃない、山師だ、ただ抗おうにも攻撃する主体は？　敢えて言うならすべてだ、すべてを見せびらかしてこれ見よがしに気取りながら権威はお前だよ、虐殺者もお前、お前自身がイデオロギーだ、今度は誇りを持て、どれも同一の価値のないものに変える、こいつらは天才、処世術を知っている、生きていくってことを、つまり一番楽な方法で、すべて建物も食い物も回りのものすべて商品に変える、食われるものに消費されるものに、遠慮なんぞしちゃいない、二の次、事態がまずくなったときには大したペテンをまき散らして知らんとばかりにトンズラ、凄まじい早さで目にも見えない、こいつらが歴史をつくっている、つまり生きるということの基準を、国なんか関係ない、根こそぎ洗脳されて麻痺させられる、大事なものを決められる、有無を言わさず、天才たちは魔法を使う、造られた生を生きるだけ、全くそれだけ、すれすれに飛んで八つ裂きに、刑の執行、化け物じみてる、殺し屋は徒党を組むことしか考えない、人間なんかどこにもいない、全くどこにも見当たらない、自分の分身ばっかつくって、何も考えないファシズムの自動人形たちを膝に抱えて、情報の爆発を見事に引き起こした、癇癪持ちども、地雷を踏んで真っ逆さまならまだマシなことだ、ありもしないファシズムを勝手に携えさせて、天才だって言うんだから、確かにお前は天才だよ、とんでもなくお利口だ、少なくとも厄介な問題には巻き込まれない、お前は犬みたいに大人しくしてればいい、白痴が豚みたいに贅沢して勲章を抱えて豪邸を建てて、裸の王様はマシンガンをぶっ放して、暗殺するんだ気づかれないように、生を商品に変えて売りさばく、自分だけは殺されないなんて思ってたら大間違いだぜ、こいつらはいつだって殺る気でいるから、場所なんか関係ないよ、世界は同時的に都市はすべて同じ水準で語られる、お前が主人公だ！　お前だけがルールだ！　お前だけが世界だ。

ひとはいかにしてファシストとなり、特定の人種への差別と侮辱、つまりは、反ユダヤ主義という絶対的過ちを犯すのか？　一つ言えることは、われわれ個々人には、固い核、どうしようもない不透明なものがある、われわれに出来るのは、周辺をうろつき、人間と呼ばれているこの神秘的（であり、おそらくはうろんな）個体の断片的側面のみを解明しようと努めるだけである。個別セリーヌとファシズムに戻るとしてどうなるであろうか…常識はずれを示唆する…手放しで褒めているわけではないのだが…論証的…セリーヌのあのバケモノじみた桁外れな一本調子の強迫観念…激越さ…錯乱…誰の目にも明らかな事実無根…翻ってファシズム自身に振り向けられるのではあるまいか…そう、セリーヌが描いているのは現実ではない。現実が触発された幻覚である。セリーヌに魅かれるのはそういう点なのだ。

これから、世界がどう変わっていくかと言うとこれは話半分に聞いて欲しい。あくまで私の妄想にすぎない。間違いなく近いうちに軍隊は出来、自衛隊はなくなる。世界中で戦争が始まる。アラブ人、中国人、韓国人、インド人、中国人、マレー人、東南アジアや中東に住むものたちは日本にやってくる。日本は南北に分断され、北部はかつての旧日本軍のような監視下に置かれ、全員が国から雇われることになり、その殆どが難民である。テレビでは5か国語が流れる。英語、中国語、韓国語、ヒンドゥー語、セビアノ語、支離滅裂な音と音が炸裂し、もはや何の言語であるか区別がつかなくなる。ファシズムより酷い。一方で南部は平和な環境が続いているが、人々は心を病む。何もすることがないのであるから。ただ、命を絶つのは怖い。だから、知らないうちに内面をロボットに変えてしまう。命令は思いのままだ。国家もイデオロギーも木っ端みじんにしなければなるまい。われわれに出来ることは芸術か？　文章か？　武力闘争か？　何でもいい、自分の持ち場を発見して全力を尽くそうじゃないか。恐らく３０年もたたないうちに「日本」という国は間違いなくなっている。断言しよう。そして、我々日本人は外へ追い出されるのだ。なんて滑稽なことだろう！　実に豊かだ！　無知蒙昧な我々は小道を辿り、青空を見て、ふるさとに想いを馳せる。悪くない。

ひとたび戦争が起きてしまえば、見事に成就して、成功を収めるだろう、だが、これは見せかけだ、つまり劇のようなものだ、有象無象の若者たちが存分に血を流し、罵り合い、震え上がり、囲いこまれ、女性たち、子供たち、ビジネスマンたち、アジアや中東の群れをそっくり引きつれ、われわれ目がけて殺到してくる、互いに踊らされ憎しみ合う、戦争の勝利を祝う最初の声が聞こえるやいなや、身震いしながらも、活動を始め、怒涛のごとく、地理的に分断された日本になだれこんでくる、自身と他者の区別もつかず混沌と化す、このようにして打ち立てられた世界は虚無の地獄に戻る運命にある、多言語的な戯言で溢れかえる、誰もが繰り返し同じ言葉を反芻し、形骸化したスマートフォンやSNS、アンドロイドに愛を語りかけるのだ、目下われわれから搾取し、血を搾りとっている資本家連中などむしろ慈悲深いというものだ、一番重要な魂や感情を殺されてしまうのだから、これは冗談ですみそうにもない。

我々は新たなヴィジョン、形態を提示せねばなるまい。仮に避けられない道として戦争が起こったとして、我々は精神を奪われ、形骸化した世界の偽りの中で、想像力と詩を奪われた身動きのとれない状況から、突破する明確な手段を持つ必要がある。ファシズムを超越したものは何よりも狂気でなければならない、血なまぐさいものとして、真に迫る現実を射抜く詩でなければならない。美しい光景を観るために、原初の風景を、知性の輝きだけではなく、精神の美しさだけでなく、もっと単純な、ファシズム、ロマン主義、ダダイスム、シュルレアリスム、マオイスム、マルクス主義、資本主義のその後で、まだ残っているひとつのヴィジョンがある。ひとつの形態、ひとつの眼差し、ひとつの価値があって、それは変動することはない。生得的な言葉、価値の原型、猛烈極まる猛火、プラトンはいつかイデアで満たされることが出来ると考えていた、或いはエーテルやニュートリノで見つけることが出来るだろうか。そんな異次元のマテリアルで形成される未来があったならそれはそれで素晴らしい。肉体を捨て去ってしまえば楽になるだろう。私たちはまだ世界にいない、私たちはまだ生まれていない、まだ世界はない、真っ暗闇の夜、あなたたちは夢遊病者の肉の奔流となって、魂が、諸悪や戦争、社会紛争を起こすファシズム的な潮流の波をとらえ、それぞれに美しい物語が形成される。空間と広大無辺さの中で我々はあなたたちと共鳴し合う。そして、イメージされる以前、まだ自我が形成されていない光明へと遡る、その時に心の底から魂が揺さぶられているもの、私たちのこの手で触れることの出来るイマージュの起源を、あなたたちの脳裏に植えつけ、集団の無意識の絶対的な変質が生じたときに、差別もファシズムも、取るに足らない特権意識もすべてが洗い流され、永続性を伴って、現実の根幹を揺るがす新しい人類が産まれるだろう。

On the Fake Fascism or Failure of Divinization

Ultra-Proust

偽ファシズム、あるいは「神化」の失敗について

ウルトラプルースト

近代とは度を過ぎて唯名論的であった。
――C・S・パース「形而上学ノート」

人口問題を解決するには「犬や猫」にひとしい第三世界の住民を「虐殺」するしかない。あるいは人間には「天敵」がいないので、たがいに「戦争」するしかない。こう語るのは「NHKから国民を守る党」（以下「N国」と略称）の党首である。ここに今日のファシズムをみてとるのは容易だろう。げんに党の運営は「独裁」によっておこなわれる。なぜなら、みずからを「ヒトラー」になぞらえる党首以外は「ガラクタ」だからである。ナチスが「ユダヤ人」から「国民を守る」と告げていたように、「NHK」という敵のもとに結集がよびかけられている。

こうしたN国は、二〇一九年七月の参院選で一〇〇万票ちかくを獲得し、党首は国会議員となった。地方議員も約三〇名をかぞえる。国会では「みんなの党」の渡辺喜美らと会派をくむ。衆院選にむけて、投資家の堀江貴文との協力関係にもはいる。N国とネオリベラリズムとの親和性はあきらかである。まずはなにより、今日のファシズムの、ネオリベラリズムとの共謀ないしとりひきに注意をはらうべきだろう。ネオリベラルな政策パッケージを強引におしすすめるフランスのマクロン政権が選ばれたのも、ファシストのルペンがひきいる「国民戦線」ではないからという理由にすぎなかった。香港についてもおなじである。中国政府はネオリベラルでありながら、香港の住民に暴力をふるいつづけている。その正当性は、かつてファシズムと闘ったことからくる。

酒井隆史（『完全版　自由論　現在性の系譜学』河出文庫、二〇一九年）やグレゴワール・シャマユー (*La Société ingouvernable : une Généalogie du Libéralisme autoritaire*, La Fabrique, 2018) もいうように、第一次世界大戦後の危機のなかで、ハイエクの「自生的秩序」なるものが着想されたことを忘れないでおこう。シュミットは「例外状態」における「独裁」を肯定した。同様に、市場の「独裁」による「自生的秩序」の実現が思い描かれたのだろう。じっさいハイエクは、一九七三年のチリの軍事クーデターを熱狂的に言祝ぐことになる。ネオリベラリズムは端的に暴力の亢進をともなう。「小さな政府」はつきつめると軍事政権となり、「市場の力」が理想的にはたらくのは植民地の経営である。だからマクロンの「辞任」をもとめる「ジレ・ジョーヌ（黄色いベスト）」たちには、アルジェリア独立運動いらいともいわれる弾圧が行使されるのだろう。そして香港のひとびとが直面しているのは、文字通りの植民地統治の暴力というほかない。

今日のファシズムは、いわばネオリベラリズムの「ヒール」にすぎない。その意味で「偽ファシズム」とよぶべきであり、マクロンや習近平のネオリベラルな統治は、ファシズムの否定をつうじてみずからの正当性を手にいれている。N国とネオリベラリズムとの接近は、そうしたとりひきのあらわれともいえるだろう。フランソワ・ベゴドーのことばをかりるならば、ファシズムをしりぞけることで維持されるのは、けっきょくのところ「ブルジョワジーの秩序」にすぎない (François Bégaudeau, *Histoire de ta Bêtise*, Pauvert, 2019)。ジレ・ジョーヌたちのなかにもファシストがまじっている。香港もおなじだろう。マクロンや習近平のほうがましである。それに堀江が支持しているくらいだから、N国はだいじょうぶかもしれない――。こうした「偽ファシズム」の幻影のなかで、植民地の経営にもとづく「ブルジョワジーの秩序」がネオリベラリズムという純化されたかたちで執拗に回帰しているのである。

*

ファシズムに直面したベンヤミンは「ファシズムにとっての好機とはなによりも、ファシズムに敵対する人びとが進歩を歴史のきまりごとと見なし、その進歩の名においてファシズムに対抗しているところにある」という（鹿島徹『[新訳・評注] 歴史の概念について』未來社、二〇一五年、五三頁）。ベンヤミンにとっての「ファシズムに敵対する人びと」とは、ナチスと不可侵条約をむすんだソ連であり、さらには第一次世界大戦いらいつねに「保守革命」を利するようにたちまわってきたドイツ社会民主党だった。イタリアにおける未来派との野合からもあきらかなように、ファシズムには技術の「進歩」にたいする信仰ともいえる態度がみられるが、それはソ連やドイツ社会民主党もかわらない。そこにベンヤミンは共謀をみてとる。われわれにとっても、事態はかわらない。問われるべきは、偽ファシズムと共謀するネオリベラリズムないしリベラリズムの「好機」であり、その根底にあって、かつてと同様に「進歩」の時間性にねざす「ブルジョワジーの秩序」である。

そうした「ブルジョワジーの秩序」は、荒谷大輔もいうように、ロックによる「私的所有権」の概念にまでさかのぼることができるだろう（『資本主義に出口はあるか』、講談社現代新書、二〇一九年）。ロックにとっての「社会契約」とは、なにより「個人」の「身体」にもとづく。「身体」は自分だけのものとしてはっきりと限定される。そしてその延長線上に私的所有権がなりたつ。これがリベラリズムの原則であり、古典派経済学から今日のネオリベラリズムにいたるまでかわらない。他方、ロックに肯んじなかったルソーは、その「社会契約」の出発点を「人民」の「一般意志」におくことで、個人ではなく共同性のもとで所有権をとらえかえす。

こうした思想史的な脈絡をふまえて、荒谷は右派／左派というよりは、ロック／ルソーの対立をつうじて資本主義からの「出口」をみいだそうとしているが、われわれとしてはロック／ルソーの対立の根底には、さらに唯名論／実在論のそれがみてとれることを想いおこしておきたい。

文明論的な観点からいえば、古代はカミによる統治であり、近代はヒトによる統治である。それゆえ移行期としての中世では、文明の統治そのものが低下し、その基層にあるはずの自然があらわとなる。じっさいヨーロッパの中世の封建制は、いわば弱い統治性のもとで、血族という自然に依存せざるをえなかった。あるいは、ロマネスク教会からゴシック教会への図像上の変遷を考えてみてもいい。古代の神権の残存するロマネスク教会では、堂々たる救い主としてのイエスが入り口のタンパンに彫り込まれる。だが中世の深まりとともに、ゴシック教会で君臨するのはマリアの図像である。みずから身ごもるマリアのすがたは、生成としての自然の発現でもあったはずである。こうした自然の上昇のなかで、もはや古代に由来するアウグスティヌスのプラトニズムへの信憑は後退していった。いわゆる「普遍論争」とよばれる議論をつうじて、理念や形相という普遍的なもののあり方が問われることになる。

普遍的なものは実在しない。ただ「魂」のうちに「名」としてあるにすぎない。論争じたいは、このように断言するオッカムらの唯名論の優位のもとで推移していくが、そうした唯名論に近代的な客観と主観の分割のはじまりをみてとるのは容易だろう。のちにロックが前提とする「私」と「身体」の関係も、そうした唯名論の範疇におさまる。すなわち、「身体」は個体として対象化され、それが「私」という「名」のもとに所有される。これが私的所有権の出発点だが、注意すべきは、こうした唯名論的な機制のなかで、普遍的なものの「代理」となった「名」を蓄積する場としての「私」が超越性をおびることである。見知らぬ土地がたんなる対象に切りつめられ、それが「私」のものであると宣言される――ロックのリベラリズムの伸長とともに推しすすめられた、土地の囲い込みないし植民地化による「本源的蓄積」では、唯名論的な「私」の超越性がはたらいていたのだろうし、近代経済学についてもおなじである。その「一物一価」の、唯名論そのものである体制のもとで、価値は「名」=金銭となり、それが「資本(capital)」とよばれる「頭(caput)」にとりあつめられていったのだから。

こうした唯名論的な「ブルジョワジーの秩序」のもとで、普遍的なものを個体そのものにかさねあわせる実在論は、もっぱら神秘主義や芸術の営為のなかに生きのびていくが、坂部恵によれば、その淵源にはつぎのような中世初期のエリウゲナの「自然」にもとづく「無(nihil)」における「神化(deificatio)」があるという(『ヨーロッパ精神史入門　カロリング・ルネサンスの残光』岩波書店、一九九七年)。

> 自然を分割すれば、四つの差異によって四つの種にわけることができると、私には思われる。それらのうち最初の種は、創造し創造されないもの、第二の種は、創造され創造するもの、第三の種は、創造され創造しないもの、第四の種は創造せず創造されないものである。これら四つの種のうち二つの種は、相互に対立する。つまり、第三の種は第一の種と、第四の種は第二の種と対立する。しかし、第四の種は、それが存在することがありえない不可能な事柄に属する。(ヨハネス・エリウゲナ『ペリフュセオン(自然について)』、上智大学中世思想研究所編訳・監修『中世思想原典集成精選3　ラテン中世の興隆1』、平凡社ライブラリー、二〇一九年、五五頁)

エリウゲナにとって、神とは絶対的な能動性(「創造し創造されないもの」)であり、それは被造物の受動性(「創造され創造しないもの」)と対をなす。だが同時に、相互性(「創造され創造するもの」)と組み合わされた能動性と受動性そのものの否定(「創造せず創造されないもの」)も、それが「無」=「存在することがありえない不可能な事柄」であるかぎりにおいて、あらゆる限定をまぬがれた神的なものであるという。この中世の神学的な議論とバンヴェニストの名高い中動態論をかさねあわせることは無駄ではないはずである(「動詞の能動態と中動態」、『一般言語学の諸問題』岸本通夫監訳、みすず書房、一九八三年、一六五－一七三頁）。文明は能動／受動という機制にもとづく。カミであれヒトであれ、それなしに統治は組織されない。このことを逆にいえば、文明以前の言語においては、能動／受動ではなく、能動／自発という対立がはたらいていたことが推定される。文明の支配がない状態では、能動的な行動はおのずと見えたり思われたりする自発性にもとづく。中動態とは、そうした自発性の表現だが、それはエリウゲナの第四の「自然」、すなわち能動／受動の否定における「自然」の「無」において発動するものでもあるだろう。文明の能動／受動の体制の「無」において、いわば「自然」として「神」がみいだされる。そこでは神秘主義者たちの「神化」がおこるのだろうし、スコトゥスらの実在論者たちは、個体には普遍的なものをわかちもつ「このもの性（haecceitas）」があるという。個体に普遍的な形相がやどるように、文明がしりぞけられた「自然」の「無」においては、ひとびとが知覚する痕跡や徴候には不在のものがおのずと重なり合うのだろう。

*

くりかえすが、ファシズムをしりぞけることで、ネオリベラリズムを許容してはならない。そもそも両者は共謀しているのであり、そのことはN国という偽ファシスト的な言動のもとに、ネオリベラルなリバタリアンたちのすがたがみいだせることからもあきらかである。ロックにはじまるリベラリズムと同様に、ファシズムもネオリベラリズムも唯名論的であるほかない。対象の限定と主体の超越化という唯名論の機制なしには、リベラリズムによる植民地の創出はありえない。そうして獲得した植民地の経営のいわば内部統治への転化であるネオリベラリズムもまた、とうぜんのことながら唯名論的であり、それはファシズムの人種主義についてもおなじである。そこにベンヤミンのいう「進歩」の時間性もつけくわえることもできるだろう。「進歩」は比較にもとづくが、比較そのものは対象の限定という唯名論的なふるまいを前提とする。一物一価の経済において「競争」のもとでの「発展」がもとめられるように、比較の時間性に即した「進歩」の線形が思いえがかれるのだろう。

したがって、われわれもベンヤミンとともに、時間性そのものを「破砕」しなければならない。その「破砕」において「今の時」が立ちあらわれる。そして、かつて思い描かれた「しあわせ」が「モナド」の「星座的布置」のなかでつかみとられるのだろうが、それは実在論的なものでもあることを銘記しておこう。「今の時」とは、受動／能動の機制そのものが否定される「無」の「自然」であり、そこでは中動態の自発性において形相が質量に内在する「このもの性」がたちあらわれる。それは単為生殖のマリアのように生きられるはずである。ファシストたち、あるいは偽ファシストたちも、そうした「無」の「自然」の「しあわせ」にふれようとしたのかもしれない。文明による統治の能動も受動もしらない境位をもとめていたのかもしれない。だが、彼らは人種や国家という唯名論的な体制にからめとられてしまう。「進歩」の暴風にふかれて、単為生殖の「しあわせ」から遠ざかってしまう。そして「神化」の契機をとりにがしてしまう。賭けられるべきものとは、唯名論をたちきる政治的な実在論である。

近代の唯名論的な体制では、実在論はもっぱら芸術家や小説家たちによってになわれてきた。分業の唯名論の圧力のなかで、美学的ないとなみだけが個体に普遍をやどらせようとしてきた。小説は法的なものにとってかわるのだろうか？　人権は「このもの性」の深みをおびるのだろうか？　政治的な実在論の布置のなかでこう問うことこそ、ベンヤミンのいう真に美学的なものの政治への転化だろうし、無残にも「神化」に失敗した偽ファシストたちのかわたわらをすりぬけて、革命的なチャンスのしるしを触知することになるはずである。

〈寄稿〉

よどみと流れ――『橋づくし』と『橋上幻像』

山本さつき

「ファシズムが全体主義であったのは、徹頭徹尾速度体制であろうとしたからだ」
――ポール・ヴィリリオ『速度と政治』（市田良彦訳）

「この世の中にはおまえとおれを両方とも入れるだけの広さはたしかにあるはずだ」
――ロレンス・スターン『トリストラム・シャンディ』（朱牟田夏雄訳）

もっとはやくに読んでおけば良かったと思わせ、同時に、いまからでも遅くはないと確信させる書籍を名著と呼ぶのなら、津村喬『戦略とスタイル』はまさしく名著だった。

敵はこの社会を申分なく占領しているが、しかしそれは、表層的なことがらにすぎない。〈抑止〉と〈モード〉によってわれわれが身動きのとれぬ状況におかれていること、これもひとつの状況であり、しかし彼らの支配が欲望のイデオロギーを操作しえても欲望そのものを操作することができず、都市の諸機構や外的な交通を掌握することができても、都市全体を、その下部構造を、掌握できないというのもひとつの状況である。都市にたいする、もっとも根源的な自主管理の要求が〈居住への権利〉というかたちをとるのは、こうした理由からである。

大阪万博にうかれる都市の流れのなかで津村はこう書く。
都市は二重である。そこは統治の実現の場であり、かつ、統治不能な力が居住する。

都市は遍在する。同じ時期、松田政男が『風景の死滅』で書いたように「中央にも地方にも、都市にも辺境にも、そして〈東京〉にも〈故郷〉にも、いまや等質化された風景のみ」があり、「わが独占の高度成長は、日本列島をひとつの巨大都市として、ますます均質化せしめる方向を、日々、露わにしている」。なにより、都市の遍在とは国家の遍在でもあった。松田はいう。「〈風景論〉は正確に〈国家論〉として再構成されざるをえなくなる」と。

オリンピック－万博体制を生きさせられている現在でも、これらは厳然たる、また凡庸なる事実だ。

そして、都市における国家の遍在は戦後東京のとある特異な橋をめぐるふたつの文学によってすでに書きつけられていた。三島由紀夫「橋づくし」と堀田善衛『橋上幻像』がそれである。

*

首都圏整備法が制定され、一九六四年のオリンピックに向け躍起になる国家の傍らで、「橋づくし」は発表された。

> われわれの生きているのは、コンクリートの橋と自動車の時代である。もともと近松の名残の橋づくしのパロディーを作るつもりで、築地周辺の多くの橋の踏査に行った私だが、予想以上にそれらの橋が、没趣味、無味乾燥、醜悪でさえあるのにおどろいた。日本人は

これほど公共建造物に何らの趣を求めないのか、と今更ながら呆れ返った。(三島由紀夫「『橋づくし』について」)

三島由紀夫は「橋づくし」によせてこう言っている。ここ「コンクリートの橋と自動車の時代」の都市は「没趣味」である。同じ箇所で三島は「しかし詩趣は橋そのものにある」と続けるが、「橋づくし」で描かれたものは趣味的関心をはるかに踏み越えている。

昭和二〇年代半ばの東京築地を舞台に(1)、花柳界に属する四人の女が三吉橋をはじめとする七つの橋を渡りながら願を掛ける。それぞれ、「映画俳優との結婚」「肥った金持ちの中年か初老の男の庇護」「お金」を願う満佐子、かな子、小弓の三人が行の半ばで夢破れ、一体なにを願っているのかわからない東北出身の新人女中みなだけが唯一願掛けに成功し幕を閉じる。願掛けは七つの橋を渡りきるまで途中で声を発してはならず、声を掛けられてもいけない。同じ道を二度通ることも許されてはいない。

都市に用意された欲望を抱く女たちは都市のただなかで次々に脱落してゆく。はじめに腹痛によって舞台から退場する芸妓のかな子は銀座を走るタクシーで運ばれ(2)、次いで脱落する小弓は「頭がおかしくなって」座敷を退いた芸妓小えんに声をかけられ退場させられる。満佐子、かな子と違って齢を重ねた芸妓で、マニキュアをマネキンと言い間違える小弓は二人にとって嘲笑の的となっている。都市の商品を正しく発音できないことは軽蔑の対象なのだが、いつしか自分の願事を忘れ、願掛けを先導する役目をこそ自分の願事と錯覚するような「一種の陶酔状態」に小弓はある。

ここで「橋づくし」の作中みなと小えんにだけ振られた傍点——人名とその他の語を区別するためなら、かな子にふられてもよい——を見落としてはならない。「橋づくし」において傍点は、労働能力を失った芸妓といまだ獲得していない新人女中にだけふられていることに気がつくだろう。労働能力の高低、身分の落差が「橋づくし」の基調をなしている。

最後に脱落する満佐子は早大芸術科に通う料亭の娘で、映画俳優Rとの結婚を夢見ている。新人女中のみなにたいしては容貌の醜さを笑い、軽蔑をもって接しているが、先の二人が脱落し、満佐子の「猿真似」をして祈願するみなをうとましく思った次の瞬間、満佐子は立ち去らなければならなくなる。

『連れて来なきゃよかったんだわ。本当に忌々しい。連れて来るんじゃなかった。』

……このとき、満佐子は男の声に呼びかけられて、身の凍る思いがした。パトロールの警官が立っている。若い警官で、頬が緊張して、声が上ずっている。

「何をしているんです。今時分、こんなところで」

満佐子は今口をきいてはおしまいだと思うので、答えることができない。しかし警官の矢継早の質問の調子と、上ずった声音で、咄嗟に満佐子の納得の行ったことは、深夜の橋畔で拝んでいる若い女を、投身自殺とまちがえたらしいのである。［中略］

「返事をしろ。返事を」

警官の言葉は荒くなった。

ともあれ橋を大いそぎで渡ってから釈明しようと決めた満佐子は、その手をふり払って、いきなり駈け出した。緑いろの欄干に守られた備前橋は欄干も抛物線をなして、軽い勾配の太鼓橋になっている。駈け出したとき満佐子の気づいたのは、みなも同時に橋の上へ駈け出したことである。

橋の中ほどで、満佐子は追いついた警官に腕をつかまれた。

「逃げる気か」

「逃げるなんてひどいわよ。そんなに腕を握っちゃ痛い！」

満佐子は思わずそう叫んだ。そして自分の願い事の破れたのを知って、橋のむこうを痛恨の目つきで見やると、すでに事なく渡りきったみなが、十四回目の最終の祈念を凝らしている姿が見えた。

ここで注目すべきなのは、警官が満佐子とみなの双方を視認していたはずにもかかわらず、満佐子のみを呼び止めたということだ。警察からの呼びかけとこれへの応答、これこそが都市主体の条件である。

イデオロギーは、われわれが呼びかけ interpellation と呼び、警官（あるいは警官でなくとも）が毎日やっている、「おい、おまえ、そこのおまえだ！」といった、きわめてありふれた呼びかけのタイプに従って思い浮かべることができるようなあの明確な操作によって、諸個人のあいだから主体を「徴募」し（イデオロギーは諸個人をすべて徴募する）、あるいは諸個人を主体に「変える」（イデオロギーは彼らすべてを変える）ように「作用し」、あるいは「機能する」、ということを示唆しておきたい。

　呼びかけられた個人は振り向くであろう。このような一八〇度の物理的回転によって、この個人は主体となる。なぜか？　なぜなら、彼は呼びかけが「まさしく」彼に向ってなされており、また「呼びかけられたのはまさしく彼である」（そしてべつのものではない）ということを認めたからである。[3]

　この「主体」は都市へ従属することで初めて都市主体たりえる。「個人は〈主体〉の命令に自由に従うために、したがって自己の服従を（自由に）受け入れるために［中略］（自由な）主体として呼びかけられる」のだから[4]。満佐子は「自由」である。ただし都市に従属することと引き替えに。みなは「不自由」である。しかし都市からはとらえられないことを条件として。

　みなが都市に呼びかけられることはない。たしかにみなはほかの三人とともに都市を流れてゆく。だが、都市を生きるその外皮の下には都市の流れにはとらえきれないものがよどんでいる。

「障子をあけるときは、坐ってあけなさいって言ったでしょう」

と満佐子が権高な声を出した。

「はい」

> 答は胴間声で、こちらの感情がまるっきり反映していないような声である。姿を見ると、かな子は思わず笑いを抑えた。妙なありあわせの浴衣地で拵えたワンピースを着て、引っかきまわしたようなパーマネントの髪をして、袖口からあらわれたその腕の太さと云ったらない。顔も真黒なら、腕も真黒である。その顔は思いきり厚手に仕立てられていて、ふくらみ返った頬の肉に押しひしがれて、目はまるで糸のようである。口をどんな形にふさいでみても、乱杙歯のどの一本かがはみ出してしまう。この顔から何かの感情を掘り当てることはむつかしい。

「橋づくし」でみなの容貌は醜く描写されている。しかし、三島が「醜悪でさえある」と表した都市とはちがって、みなの顔貌は満佐子には把握しえないのである。三人の欲望はわかりやすく、願掛けも真剣だが、みなは願掛けに真剣ではないようすである。満佐子はそうしたみなの態度に「自分たちの願望に対する侮辱」をみてとり、しかし同時に「みなの心の裡の何もない無感覚な空洞が、軽蔑に値するようにも、又、羨ましいようにも思われた」のだ。そして小弓が脱落した後、みなの前を歩く満佐子はみなをほとんど脅威に感じる。

> かな子が落伍した頃まで、みなの存在は満佐子の心にはほとんど軽侮に似たものを呼び起すだけだったが、それから何かしら気がかりになって、二人きりになった今では、この山出しの少女が一体どんな願い事を心に蔵しているのか、気にしまいと思っても気にせずにはいられない。何か見当のつかない願事を抱いた岩乗な女が、自分のうしろに迫って来るのは、満佐子には気持が悪い。気持が悪いというよりも、その不安はだんだん強くなって、恐怖に近くなるまで高じた。
>
> 満佐子は他人の願望というものがこれほど気持のわるいものだとは知らなかった。いわば黒い塊りがうしろをついて来るかのようで、かな子や小弓の内に見透かされたあの透明な願望とは違っている。

みなの願望を透かし見ることは不可能である。視線の禁止を思わせる名をもつみなは都市生活者たる満佐子にはとらえられない。都市は大地に名を刻み都市にとって見やすいものとすることで成立する。永坂田津子はみなを皆と見做したが[5]、みなとは未名でもあるだろう。


「一体何を願ったのよ。言いなさいよ。もういいじゃないの」

みなは不得要領に薄笑いをうかべるだけである。

「憎らしいわね。みなって本当に憎らしい」

笑いながら満佐子は、マニキュアをした鋭い爪先で、みなの丸い肩をつついた。その爪は弾力のある重い肉にはじかれ、指先には鬱陶しい触感が残って、満佐子はその指のもってゆき場がないような気がした。


「橋づくし」はこの描写をもって幕を閉じる。みなはまるで満佐子たちとの願掛けがおわっても別種の願を掛けているかのようにただ薄笑うだけである。丸谷才一は「橋づくし」を「自分は上流階級であって滅ぶべき階級であるという三島由紀夫の主題を、芸者と女中の関係に移した」と読んでいたが[6]、家を維持し、破壊しもする女中の性格は、都市がもたらす流れとみなの関係にそのまま重なるだろうか。「ふだん車で通っていては気のつかないこうした孤独な柳が、コンクリートのあいだのわずかな地面から生い立って、忠実に川風をうけてその葉を揺らしている。深夜になると、まわりの騒がしい建物が死んで柳だけが生きていた」——。たしかなのは「コンクリートの橋と自動車の時代」においても都市からは遠く離れて都市の只中に居住するものたちがいるということだ。都市の流れを流れる女たちのなかでみなは都市からは見えないよどみに住まう。

*

願掛けの最初の橋、三吉橋に着想を得て書かれたもうひとつの作品に堀田善衛『橋上幻像』がある。そこには都市と国家の欲望のうちで最たるもの、戦争がわだかまっていた。

「私たちの生は、その存在が半ば信じられたものに充ち満ちて」おり、その「堆積」が「時間」である。それは「過去、現在、未来にわたる記憶の薄暗い無限空間のなかに、異様に上下左右に結節している」が、これを理解するには「Y字形の橋の中心点」に立ちさえすればよい、と語り手はいう。

第一部「彼らのあいだの屍」に登場する中心点＝虚点は単線的な時間の流れがよどむ場所として描かれていた。

ある男女がふたりの友人の葬儀で再会する。男には彼について秘密があり、それは信管の生きた爆弾のように二人の間に伏在している。Y字橋のたもとのホテルで男は彼が自殺する半年前のある出来事を語りだす。レストランで鶏のバター焼きにかぶりついた彼は眼を白黒させ席を立つが、そのときの彼は「のっぺらぼう」のようで、男には表情を読み取ることができなかった。便所で胃の中のものをすべて吐き終わっても彼は「指を口のなかに突っ込んで、それでも何かを吐こうとして」いた。彼を自宅に送り届けた男が彼から聞いたのは、ニューギニアでの人肉食の経験だった。戦地ではいかに食糧が乏しかったか、火種はいかに調達するかといった挿話を彼は「かなりに淀みなく、まずすらすらと」語っていたが、核心へと話が及ぶ直前、「動物のような声をあげ」からだを痙攣させずにはいられなかった。

「全世界」が「喰い物に対する関係」になり、「時日の観念があやしくな」る時、人肉食ははじまる。死に、あるいは負傷した敵兵は飯盒に詰められ、「一杯五百円ほどで取引きされる」それらを語り終えた彼はなおも「本当に言うべきことは言っていない」と呟く。それはまるでラッキョウの芯のようなもの――「しかし君、ラッキョウの芯には何があるだろうか、果して芯というに値するものがあるだろうか。本当のことは、言わなくても、同じことじゃないのかね」――であり、話を聞く男にはそれがなにかはわからないのである。

「戦争で人を殺す、殺される、これはまあこれまでありきたりの国家とか国とかいうものの枠のなかのことさ。しかしいかに戦争でとはいうものの、人を殺して喰った奴は、これはもう、国とか国家とかいうものを超えてしまうな。nowhereさ。……」。半年後、彼は自殺した。

戦争以前と以後で人生は切断される。第二部「それが鳥類だとすれば」におけるナチスによるユダヤ人虐殺を生き延びた女性は「少女時代のことを思い出すと、あれがいまのあたしと同じものだとは、とても思えない。だから、まったく違った二つの人生が、まるで接ぎ木でもするかのように、あたしのからだに、接がれているという思いにとらわれ、あたしのどこがいったい、その接ぎ目なのか、などと思うと、本当に……、自分の人生ながら、本当に、あてどのない気持(pointless)になります」と告げるが、「しかしまた、橋の真ん中、接ぎ目などというものは、存在し同時に存在しない。しかししかし、そこに立つその存在し同時に存在しない幻像こそが、まさに真実の君なのだ」と語り手が言うように、戦争の流れがもたらしたあてどなさこそが彼女そのものである。ラッキョウの芯のように存在し、かつ存在しないもの。国家によって生じた人生の虚点が、第一部と同様記述され、それこそが私そのものなのだと告げている。それは国家の流れによって形成されたよどみだが、けっして国家によってはただしく把握しつくされない場所である。

　戦争による流れを生き残った者たちと彼/女らが見たものが描き出された後、第三部「名を削る青年」では今まさに戦争が生きられている。アメリカ軍脱走兵を日本国外へ逃がすJATECを想起させる活動をする日本人の男はある日、ウィリアム・ジョージ・マクガヴァーンという名の青年を家に迎え入れる。彼はソウルでパク・チョン・スーとして生まれたが朝鮮戦争を機に孤児になる。彼は九歳の時、アイオワの実業家の養子となるが、その家についてはじめにやらされたのは自身の「洗濯」である。「熱いシャワーを浴びさせられ、ごしごしとこすられて東洋人のあらゆる垢を落とし」た後、洗礼を受け、名をウィリアムと改名させられる。「ぼくはぼく自身になりたかった。ぼくがぼく自身でつくった、そういう自己自身(identification)がほしかった」が孤児としてアメリカ軍基地の残飯を漁っていた当時のパク・チョン・スーにも戻りたくはないのである。

　気晴らしのための夜間のドライブはベトナム戦争中のアメリカ軍脱走兵である青年にとってはもちろんのこと、青年を迎え入れる家族にとっても緊張が強いられる。この緊張をもたらすものこそが国家である。「この夜の闇の、つまりは家の雨戸の外、すべての戸の外そのもの、戸と壁の外の一切、この夜の闇そのものが、国家、というものなのだ」。

ここで大切なのは、青年を迎え入れる日本人の男も青年に対しては国家として現われる、ということである。「国家は夜の闇にも昼の光にも化けてこの家の戸と窓と壁のぎりぎりのところまで押し寄せて来ているものであったが、その家のなかにいる男もまた国家であった」。

津村喬が『戦略とスタイル』で言ったように「差別の構造」を生きる日本人は、在日外国人――とりわけ在日中国人・在日朝鮮人――を前に入管体制としてあらわれざるを得ない。「われわれと〈彼ら〉の間にあるのは個々人の善意や卑屈さの問題ではなくて、制度なのだということがわかるだろう。そのなに気ない会話の中に、〈戦後〉日本のテロルの構造の全体が絶えず現前してくるのが見えないとしたら、われわれの眼が節穴であるか、〈彼ら〉が徹底的に自己をかくすことに長けているか、そのどちらかである」。在日外国人たちとの間にはわかりあえない歴史があり、かれらを「われわれの永遠の教師」としなければならない、と津村は言う。青年を逃がそうとする男を取り巻いているのもおなじく入管、すなわち、「在日しあるいは在日しない権利」の問題である。ここで、堀田善衛が『時間』で南京における「殺・掠・姦」を描いた作家であったことを想起してもいいだろう。青年は韓国にルーツを持つアメリカ国籍の在日脱走兵ではあるが、青年をアイデンティティの剥奪に追いやったのはほかならぬ朝鮮戦争・ベトナム戦争であり、それに荷担する日本である。ここで青年は加害責任を問う存在として男に相対している。

青年は国外脱出に必要な米軍の身分証明書を燃やし、「ぼくはぼくの名前を自分でつくる」と言って旅立ったが、その旅立ちはまるで「葬儀のときの、出棺、というに近い感があった」。都市＝国家に強制されたみずからの名のみならず、兵士として登記される自己の証明にも死を言い渡し青年は国家＝男の元を去る。

青年は国家以前から／国家以後へと架けられた橋であり、その橋は都市に生きる者には理解できないものとしてある。ラッキョウの芯あるいは橋の接ぎ目として青年は描かれているのだ。ともあれ、問題はこの都市におけるよどみをいかに生きるか、ということだろう。

*

「橋づくし」には都市化のすすむ東京を舞台に都市から逃れるみなが、『橋上幻像』では都市において浮上してくる戦争の流れによどむ者たちが描かれていた。彼／女らを取り囲むのは戦争を経て、あるいは戦争のただなかで復興を進める都市である。両作品のモチーフである三吉橋には災害と復興の痕跡が刻みこまれていた。

三吉橋は一九三〇年に関東大震災の復興策のひとつとして建造された。都市は災害－復興－防災の三つ組みを軸に再編の口実を捏造するが、三吉橋も例外ではない。「わが亡きあとに洪水は来たれ」(7)が資本家のテーゼなら自身への洪水の期待が都市を基礎づける。「血に染まり火と燃える文字で人類の年代記に書きこまれている」(8)のが本源的蓄積の歴史だが、災害はこれを代替してくれる。

この意味で三吉橋はあまりに都市的な橋としてある。「橋づくし」や『橋上幻像』で三吉橋の下を流れるのは築地川の水だが、オリンピックを目前にした一九六二年には首都高がその下を通っている。作品にも描かれるように橋は区役所、寺、病院といった都市権力に囲まれるように架けられているが、現在では橋のうえしたを異なる速度で自動車が流れている。

ポール・ヴィリリオは『速度と政治』のなかで、交通規制こそが国家の政治権力だと説いた。国家は人々を含めたモノの流れの管理として存在している。「都市の門、入市税、税関は、大衆の流動性と移住を図る群れの侵入力に対する堰であり、フィルターである」。監獄・病院・兵舎などは流れの関所としてあげられるが、これらは「監視や隔離の問題よりはむしろ交通の問題の解決策にほかならない」のであり、「都市の入口からの吸入と排出とは、都市防衛装置による大衆の根底的統制なのだ」。三吉橋の周辺の築地本願寺、聖路加病院、中央区役所、百貨店などなどは流れを濾すフィルターとして配置されている。『橋上幻像』で脱走兵の青年が国家を感じるのも、ほかならぬドライブにおいてであった。

流れの管理、門の開け閉めが統治である。流れを実感するには、エスカレーターで立ち止まってみたり、返答をせっつく上司の前で沈黙してみればよい。そこで投げかけられる視線や舌打ちには〈風景〉としての国家が潜んでいる。あおり運転が耳目を集めるのも速度体制に棹さす営為だからだろう。

流れをそのまま肯定しつつ、よりゆるやかに、あるいはより速やかにすることで得られる幸福はある。しかしこれは〈風景〉を維持したままなされるだけにいつか転ぶ。だが流れに逆流するだけでいいのか。流れを拒絶しつつ、そこから出口を見つけるためにはなにが必要なのか。

流れのただなかに生じるよどみがある。流れに身を置いて、あるいはそこから離れて流れそのものを注意深く観察すればほの見えてくるよどみがたしかにある。人でごったがえすターミナル駅の雑踏、信号の色が切り替わると同時に歩行者の脇を走り過ぎる車の往来、まさにその流れのただなかに流れが休止する場所と時間がある。まるでケーキを等分したあとに包丁に残るクリームのように、都市の流れにはよどみが背を合わせている。都市は流れを求め、そこに乗るものたちだけに報いるだろう。しかし都市には流れだけがあるのではない。この世界は流れに沿ってよどみを生じさせるだけの広さを持っている。

一見よどみは統治に利用されるものとしてあるように見える。たとえば治水は既存の流れを堰きとめそこによどみをつくりだす。しかしあらたなものを流すためにおこなわれるこのよどみは流れに従属している。三吉橋の下が首都高として整備された際も、築地川の流れがせき止められ自動車の流れがもたらされた。環状交差点も都市におけるよどみを統治に流用したものだろう。

ジレ・ジョーヌたちはインフラがもたらす流れの封鎖として環状交差点を占拠した。流れを構成するために統治に組み込まれたよどみをひとびとが住める時空とすることはそこが既存の流れの代替物に堕さないかぎり都市における反統治そのものである。流れのために用意されたよどみを都市の流れから遠く離れて絶対的なよどみへと転化するために、流れとしてのよどみと流れのなかによどむものたちをしかと見極めなければならない。

みな、は都市の流れに反逆しない。似合わないワンピースを着て、満佐子たちの後ろを流れてゆくだけである。しかし、み、な、は都市からは把捉しえないものとして流れのそばにたたずんでいる。『橋上幻像』における彼は「ほんとうのこと」を言い得ず、脱走兵の青年は「燃やしも殺しも壊しもしないジンギス汗」として男のもとを去る。三吉橋をめぐるふたつの文学には都市＝国家の流れからは見えず、名を拒否する者たちがよどんでいる。

三吉橋をいまいちど見てほしい。そこには道路行政によって書き込まれた白線の流れの交差に空白があるのが分かるだろう。これは流れのために穿たれた余白だろうか、はたまた、流れのただなかに生じた不可視のよどみだろうか。国家から離れて都市を生きようとするものたちは、ここに「橋づくし」でみ、な、の住まうよどみを、『橋上幻像』のY字橋における「虚点」を、幻視する。

むろんこうしたよどみは三吉橋だけのものではない。アパートローラー作戦をかわした都市ゲリラ、あるいは、「広場」から「通路」へと書き換えられた新宿西口を生きたものたちはよどみを生きたひとりひとりとして数えられるだろう。

蜂起にしても暴力にしてもあるいはよどみにしても、問題は自分がやるかやらないか、ではないか。津村喬は入管闘争に取り組みながら「居住への権利」をとなえた。遍在する国家の流れにおいて都市を真に生きるためにはそこに生じるよどみへの居住が相対的に必要になるが、それだけでは絶対的に十分ではない。

津村が『戦略とスタイル』で多くを負っていたアンリ・ルフェーブルは『都市への権利』（森本和夫訳）のなかで「十九世紀の末に、「名士」たちは、ひとつの機能を孤立化させ、それを「都市」がそうであったし今もなおそうである高度に複雑な総体から切り離して、その機能を地所の上へ投射する」と語った。「名士」は善意の人間であったかもしれない。しかし彼らが「「都市」のまわりに、土地的な富の動員とか、無制限の交換や交換価値のなかへの土地や住宅の引き入れとかを拡大した」ことになんら変わりはないのである。このこととは現在、はるかに拡大されて〈風景〉となっている。現代の「名士」は自身の私有への欲望を善意で糊塗することすらしない。

よどみへの居住は都市を私有することではない。よどみへの居住に家賃はいらない。ただ都市の流れが止む場所で休らう身体を国家の外へと架けることだけが必要である。「救いがあるかないか、それは知らぬ。が、収穫のそれのように、人生は何度でも発見される」。堀田善衛はこう『時間』を結んだ。流れの中にきざすよどみは、まさに大地から生い立つ麦のように何度でも発見され、生きられるだろう。

註

(1)中野裕子は「『橋づくし』論—〈様式〉の意味—」(熊沢敦子編『迷羊のゆくえ——漱石と近代』、翰林書房、1996・6)のなかで満佐子の通う「早大芸術科」という名称から、みなたちの生きる時代を昭和二〇年代に比定している。

(2)ロラン・バルトは『表徴の帝国』(宗左近訳)で「毎日毎日、鉄砲玉のように急速に精力的ですばやい運転で、タクシーはこの円環を迂回している」と書いた。「この円環」とは皇居=空虚を中心とした円のことだが、この中心に限りなく近い場所で「橋づくし」の女たちは願を掛ける。

(3)ルイ・アルチュセール『再生産について 下』(西川長夫・伊吹浩一・大中一彌・今野晃・山家歩訳、平凡社ライブラリー、2010・10)244頁。

(4)註(3)88頁。

(5)「みなとは、皆(all)であり、これはまさしく充全で一なるものの謂いである。このような存在に、反省意識はまったく必要がない。したがってそれは、意識の側からは、むしろ不透明な「黒い塊り」以外のなにものでもなくなる。」(『昭和文学60場面集 小説空間を読む 2』中教出版、1991・9)249頁。

(6)丸谷才一『花柳小説名作選』(集英社、1980・3)422頁。

(7)カール・マルクス『資本論』(第1巻第1分冊、大内兵衛・細川嘉六監訳、大月書店、1968・2)353頁。

(8)註(7)第1巻第2分冊、935頁。

祈りのアナーキー

Anarchy as Prayer

彫 真悟

Shingo Hori

信じたもん　これから取り戻すとこ

——ＲＩＴＴＯ

わたしの行く道すべてがわたしの墓です

——ある夜のパンチライン

無根拠＝無起源な信

われわれは、ただしいことのためではなく、ほんとうのことのためにたたかう。なにがほんとうか、以下のひとことでじゅうぶんである。「神はお造りになったすべてのものを御覧になった。見よ、それは極めて良かった」（創世記一・三一）。この世界のすべては、神によって良いものとして肯定されている。否定と対になるのではない、非対称的な、絶対的な地平において。否定と肯定を往還しながらより高次の精神にいたりつくことをめざす弁証法、それは統治の論法である。統治は、われわれが世界との直接的な関係をとりもつことをさまたげる。そこから離脱し、ただ肯定にのみ根ざすこと。神のみた世界にたちかえるための歩みそのものが、われわれのたたかいである。

したがってわれわれのたたかいは、通常の意味での根拠＝起源 arche を欠いている。じっさい、「すべては極めて良かった」などといったところで、それはたんなる日和見か宗教狂いの戯言としてうけとられるだけだろう。つまり、すべては肯定されると信じることは、いま見知っているこの世界にあっては、まったく不可能なことであるようにおもわれる。しかし、なおもいおう。たいせつなのは、それがほんとうだと信じることである。たとえば、マルコによる福音書一〇章一七－三一節に登場する「金持ちの男」が欠いていたものは、この信であった。律法の掟を篤く守る男は、イエスを「善い先生」と呼び、「永遠の命を受け継ぐためには、何をすればよいでしょうか」とたずねる。だがイエスは、男をみつめ、慈しみながらもこういう。「あなたに欠けているものが一つある。行って持っている物を売り払い、貧しい人々に施しなさい。それから、わたしに従いなさい」。

このことばを、弱者にたいする温情や寛容をすすめるものと理解するのは、最悪の読みである。温情や寛容は、軽蔑そして暴力と表裏一体のものにすぎない。それよりもみるべきは、律法の遵守であれ、おおくの財産の保持であれ、この男がなんらかの留保をしたうえで救われようとしていることにある。そこには、なにごとかをなせば、当然それにみあうだけのものがえられるはずだという交換の論理にもとづく期待はあれども、神への信頼などありはしない。善いものは神をおいてほかにないにもかかわらず、男がイエスのことを「善い先生」と呼んだのはそのためである。イエスがじぶんになにかをあたえてくれるとはおもえても、よもやじぶんからさらに奪っていこうとは、とても信じられなかったのだ。小説家・田中小実昌の父にして、広島・呉の独立教会「アメンの友」の牧師だった田中遵聖は、この聖書箇所についてつぎのようにかたっていた。

神が神となるこれが我々の宗教です。……神のものがこっちに来なければ神が神となっていかない。それで何の為だとか、どうだとか皆ここ、神の子になるんだとか、ここが出世する事ばかり考えておる。そして向うに行って、永遠の生命で、一番ええところへ、ずーっと行く事ばかり考えている。そういうものがいくら信じても、救いという事はええ所に行く事だとそういう事ばかり考えている。そうでなくて、今神が神となる。神が神として喜ぶ、神が神として唯一のものとしてただひとつのものとして、私共が讃美させられるという事が、これが後なる人、本当の救いにあずかる人であります。否、あずかっておる人であります。（田中二〇一九、六五－六六頁）

「神が神となる」。この謎めいたことばは、神が、わたしたちの現実態に、あるいはそれを支える想像力にはたらきかける具体的な力として到来することを意味するだろう。しかし、それは「何の為だとか」いったような、わたしたちの主意によってなしとげられるものではない。あらゆる人為はしりぞけられ、かわりに田中がくりかえし強調するのは「奪い」

であり「受け」である。神が神となるとき、われわれはどこまでも徹底して奪われる。それを「受けしめられる」以外にみずからの力でできることなどないという、主体性がくじかれた極限的な地点であたえられるものこそが信である。信とは「他力」（守中二〇一九）に根ざしたものなのだ[1]。あの金持ちの男の信は、しょせん「自力」に頼ったものにすぎなかった。「あなたに欠けているものが一つある」。それは、いかに奪われようとも一歩も引かない、否、もはや引くことのできない、無根拠＝無起源 an-arche な信である。

聖なるものとその敵

とはいえ。そのような信を取り戻すことはなんと難しいことだろうか。おそらくそれよりも、「らくだが針の穴を通る方がまだ易しい」。そして、この針の穴のまえで呻吟する者たち――あるいはわれわれじしんもふくめて――のあいだから生まれてくるものが、われわれのたたかうべき敵である。

キリスト教神秘思想家にして革命的なサンディカリストであったシモーヌ・ヴェイユは、ヒトラー主義の系譜を論及するにあたって、古代ローマにまで遡行する。ローマ帝国はひとびとを身分や民族によって分割しつつ、それを束ねるための統治技術として中央集権体制をつくりだした。「この帝国の権勢は、高度に中央集権化され、きわめてよく組織された行政機構、総じてよく規律のとれた厖大な常備軍、国中にはりめぐらされた統制組織などによって、構成されていたのである」（ヴェイユ一九六八b、六四頁）。こうした技術的な操作過程じたいが、ヒトラー主義の起源である。

　ゆえにヴェイユによれば、たとえば民主主義国家も、ヒトラー主義同様にゆるしがたいものである。「民主主義は善とは無縁である」（ヴェイユ二〇一八、三五一頁）。民主主義は、「聖なるもの」としての人間を毀損している。聖なるものとはまったく素朴にそのひとそのもの、そのひとのすべてであり、そこから善をもとめて発される叫びである。聖なるものは個性や人格とは決定的に異なる。「聖なるものとは、人格であるどころか、人間のうちなる非人格的なるものである」（ヴェイユ二〇一八、三二〇頁）。この点は、ぜったいに見紛ってはならない。

　にもかかわらずおかされたあやまちの一例を、ヴェイユは一九四〇年のナチスによるフランス侵攻とそれにたいする抵抗運動のうちにみいだした。そこでは、ファシズムという唾棄すべき邪悪と、人格を重んじる善なる民主主義文明とが戦ったのではない。聖なるものは集団として結実するとかんがえる勢力と、人格の開花こそが人類の悲願であるとかんがえる勢力。演じられていたのは、そうした二者間の衝突にすぎなかった。いうまでもなく、両者がともに欠いているのは、聖なるものへの敬意と尊重である。かりに後者のほうがいくぶんよくみえたとしても、なおもそうである。

　したがってわれわれの敵は、民主主義か全体主義か、といった政体うんぬんの問題から定義されるのではない。集団と個人のどちらが優位にたつべきかといった社会学・政治学的な問題によるのでもない。個性や人格、あるいはイエや党や国家など、大小さまざまな装置へとわれわれの生が捕獲され、聖なるものが毀損されること。それじたいがわれわれの敵とするものであり、具体的には以下のとおりである。「そしてファシズム、デモクラシーあるいはプロレタリア独裁といったあらゆる名前のもとに隠れうるにしても、真の敵は行政、警察、軍事機関であることに変わりはない。われわれの兄弟の敵である限りにおいてだけわれわれの敵である正面の敵が真の敵なのではなく、われわれの保護者であると称しながらわれわれをその奴隷としている者が真の敵なのである」（ヴェイユ一九六八a、一三二頁）。

やはり古代ローマへの憧憬によって動機づけられたともいわれる「現代のバベルの塔」(2)――オリンピック／パラリンピック、万博――が、多様性（ダイバーシティ）をその旗印としつつ執拗に「みんな」の参加や応援を呼びかけているのは、かかる敵の現在的なすがたである。ほんらいならば多様性は、「みんな」なる集団が立ちあげられるさいに構成的外部として棄却されるものたちによる、経験の特異性にねざした闘争の言説であっただろう。それがいまや統治のために奪用され、「みんな」と相補的に機能する行政のクリシェとなりはててしまっている。諸マイノリティの生は捕獲され、そこにはむろん、聖なるものへのまなざしは皆無である。こうした敵としてふるまっているのは、リベラル、保守、起業家（アントレプレナー）みな同様だ。だれも、なにも信用ならない。あれらが狙っているのは「国家暴力の背後で国民的合意を打ち立てるのに必要とされる一連の排除のための道具となり、また市民の従属化の媒体にもなる」（ブラウン二〇一〇、一四三頁）ような言説を流通させることにすぎない。そこからはいつでも、「大バビロン」（黙示録一七・五）の統治がよみがえってくることだろう。

大バビロンの統治、大聖堂の統治

統治から離脱せよ。加速主義ほど、その意志を雄弁にかたりつつ、しかし盛大に失敗しているものはない。たとえば、ニック・ランドの『暗黒啓蒙』。ランドはそこで、啓蒙主義的なもろもろの価値観によって統べられたアメリカ社会への敵意をむきだしにする。その社会の背後にあるのはプロテスタンティズムによってうちたてられた大聖堂（カテドラル）である。

> ヨーロッパの古典古代においては、民主主義は周期的な政治的発展上のおなじみの一段階にして、ほんらいは原理的に退廃的な、暴政へと陥る前段階だった。こんにち、こうした古典的な理解はすっかり失われ、グローバルな民主主義のイデオロギーにとってかわられてしまっている。……わたしが普遍主義と呼ぶところの周知の伝統は、非神学的なキリスト教セクトである。このおなじ伝統に現在あたえられている、多かれ少なかれ同義語として機能しているほかの名（ラベル）としては、進歩主義、多文化主義、リベラリズム、ヒューマニズム、左翼、ポリティカル・コレクトネスなどなどがあげられる。(©Land, Nick)

ランドは、現代の普遍主義／啓蒙主義的な統治は、キリスト教がたえずみずからを改革（リフォメーション）してきたその結果なのだ、という。そして民主主義とは、かかる大聖堂が告げ知らせているあらたな福音なのだ、と。むろん、これは皮肉である。あるいは憎悪である。ランドにいわせれば、「グローバルな民主主義のイデオロギー」による統治など忌むべきものにほかならない。理性の進歩が平等な社会をいずれ――弁証法的に――達成することを疑わない民主主義者と、その恩恵に浴するマイノリティ。しかしその陰で生みだされているのは大量の白人貧民（クラッカー）ではないか。かれらを保護しうるようなイデオロギーはどこにもみあたらない。民主主義者が信じてうたがわない進歩神話によって、保守主義は場を完全に奪われ、その主張の正当性をめぐって争うための機会すらうしなっているからだ。啓蒙主義やリベラリズムの主張が普遍化・全体化し、それ以外のものがおよそ想像しがたくなった社会、それがランドの時代診断である。

　ここからランドは、資本主義の脱領土化の加速によって大聖堂の出口（イグジット）をめざすという暗黒啓蒙のプロジェクトを提案するわけだが、いってしまえば、そのプロジェクトは理論的に破綻している。ドゥルーズ／ガタリをすこしひらけば、領土化と脱領土化は併走的な運動であり、脱領土化だけが突出して進行することはありえないとすぐにわかるだろう。

では、なぜランドはこのような初歩的なあやまちをおかしているのか。『アンチ・オイディプス』を重視し『千のプラトー』をしりぞけている、それもあろう。だがそれ以上に、この過ちは、かれのテクノロジーへの信のゆえである。ランドは、ITやサイバネティクスといったテクノロジーがやがて到達するといわれる特異点（シンギュラリティ）が、人類をポスト・ヒューマンへとおしあげると信じてやまない。ここには、人類史の終わりを待望するある種の終末論的な期待がある。だが、マニュエル・ヤンもいうとおり「資本やテクノロジーを『現代の黙示録』とみなすのはそれらの力を物神化することと同義である」（ヤン二〇一九、一〇八頁）。端的にいって、ランドは、信じるにたらないものを信じてしまっているのだ。その結果として生じるのは、なるほど――ランドが目したような――分離ではあるのかもしれない。ただしそれは、あの肯定の地平からの分離であり、支配的なものとして目下稼働している「ただひとつの世界」（ラッツァラート二〇〇八、二五九頁）への撞着である。黙示録的な想像力がきりひらきうるはずの世界の別様な地平、それがランドに欠けているものである。暗黒啓蒙は、大聖堂からの離脱に固執するあまり、大バビロンの統治下へと閉塞している[3]。

かかる閉塞から抜け出すにあたって、ドゥルーズをもういちどひもとくのも手だろう。小倉拓也はドゥルーズのパスカルやアブラハム読解をひきながら、ドゥルーズの「宗教的転回」を素描する。そこで問題になっているのは「賭けること＝信じることを選択するか否か」（小倉二〇一九、一一六頁）である。われわれは、なんらの可能性をもたず現にこうであるほかない世界において、疲労をおぼえ、倦んでいる。そうしたなかで、この世界が現にこうであるのではないもの――現下の世界では不可能なもの、それは聖なるものでもあるだろう――でもありうること、それを信じるか否か。世界の閉塞をこえた「外」の可能性はじつのところ、この信によってこそ担保される。離脱、それは「信仰のなかでしか取り戻すことができない不可能なもの」（ドゥルーズ二〇〇六、二四二頁）への移行である。

はっきりいっておこう。暗黒啓蒙の用意する出口のさきにはなにもまってはいない。それでもなお暗黒啓蒙や加速主義にみるべきものがあるとすれば、それはかれらの反統治の意志である。五井健太郎が指摘しているように、かれらを生みだしているのは「すべてを平等主義的な結論へと導く民主主義的かつ弁証法的で、『ブラックホール』のような国家の統治機能にたいする、ほとんど〈気分〉ともいえるような反感」（五井二〇一九、五二頁）である。これにたいして、大聖堂への回帰をすすめるのはほとんど無意味である。じっさい、ランドの大聖堂批判は「ヤハウェ、中世の教会、ヒトラー、これらは地上的な神々である。彼らの行う浄化は想像上のものにすぎない」（ヴェイユ二〇一七、一四七頁）と述べるヴェイユと軌を一にしているようにみえなくもないし、大聖堂が聖なるものをひどく軽んじていることはあきらかだ。とはいえ大バビロンの統治下で、聖なるものが取り戻されるなどということはおよそかんがえがたい。かつてヴェイユがたてた問いは、変奏されていまもつづいている。よい統治とわるい統治があるのではなく、聖なるものをないがしろにする統治そのものを撃たねばならない。大聖堂と大バビロン、いずれの統治も拒否し、聖なるもの、不可能なものを希求するときに、それにかなうのはいかなるみぶり（アティチュード）なのか。

（不）可能なものの奪還

二世紀から三世紀にかけて活躍し、その死後に異端宣告をうけた古代教父オリゲネスは、小文「祈りについて」のなかでつぎのように述べていた。

> 実際、それによってすべてのものが設けられた創造の知恵――ダビデによれば、「神はすべてのものを知恵のうちに造られた」のです――を所持することは人間の本性には不可能なことですが、「神からわたしたちにとっての知恵、義、聖め、あがないとされた」わたしたちの主イエス・キリストのおかげで、不可能なことが可能となったのです。（オリゲネス一九八五、四五頁。強調引用者）

神の知恵にあずかること、あるいはそれにふさわしいものとなり、神と一致することは、ほんらいは人間にとって不可能である。しかし、その不可能を可能にするもの、それこそが祈りである。祈りのこの力は、すでにイエスによって告げられていたことでもあった。祈りは、山をも動かし、われわれが求めるものをすべてあたえてくれる。「だから、言っておく、祈り求めるものはすべて既に得られたと信じなさい。そうすれば、そのとおりになる」（マルコ一一・二一）。

そこでは神への信が、ただそれだけが可能性の条件としておかれる。人前で目につくように祈るなど論外である。それとともにわれわれは、場所を問わず、つねに祈らねばならない。ここには矛盾があるようにみえる。祈りはいかに捧げられるべきか。祈りの場はけっきょくどこにあるのか。これにたいしてオリゲネスは明確なこたえをだした。すなわち、われわれの生活全体が祈りであるべきだ、と。通常かんがえられる祈りの所作は、この意味での祈りの一部にすぎない。みぶりそのものが、祈りでなければならないし、またそうでありえるのだ（4）。

その祈りにたいしては、根拠をあたえようとしてはならない。人前で祈る、それはあくまで、外的な承認をつうじてみずからの祈りを補強しようとする点で弁証法的であり、「他力」に依らねばならない。だが、祈りはどこまでも「自力」の範疇にとどまる。このとき祈りは、統治によって捕獲され弁証法的・反復的に生きられる日々を切り裂く間隙、遂行中断的（アフォマーティヴ）なものとしてたちあらわれるだろう。すなわち、「あらゆる行為に暗黙裡にともなわれ、またあらゆる発話行為に暗黙裡に割り込む」（Hamacher 1991, p.1139）神的なものとして。

ヴァルター・ベンヤミンがあきらかにしたように、統治は、行為遂行的（パフォーマティヴ）な暴力をつうじてわれわれの生活のなかに根拠を措定する。それは「かくあるべし」という当為の根拠であり、この世界が現にこうであることの起源である。しかし祈りはそこから、神への信をつうじて「かくあれかし」の世界、現にこうであるのではない世界へと離脱する。どんなに根拠がなくとも、世界がどうしようもなく破局的であろうとも、すべては極めて良いものであるとまったく無垢に信じること。

祈りは無根拠＝無起源の徹底化である。祈りのアナーキー。それは、現下の世界の外にひらける（不）可能なものの奪還である。

取り返しのつかないものを取り返しにいく。その道のりには、あまたの困難がまちうけている。われわれは、不幸になるかもしれないことを愛することができるだろうか。世界にあふれる出来事によっておわされる傷を、わがものとすることができるだろうか。なんらの目的ももたずただ老いていく時間を、生きることはできるだろうか(5)。祈りをもってすれば、これらはすべて可能となるのだろうか。

これらの問いに正答をあたえようとすることは、いちじるしく信を欠いている。信は、われわれをおもってもみなかったところへとつれていく。恩寵は油断がならない。恩寵は斜めからくる。それは夜の眠りをさまたげる不穏な予感としておとずれ、抱きとめる間もなくわれわれの手を引くだろう。そこでたいせつなのは、ただしいがゆえに選ぶことではなく、たとえ不幸になるかもしれないとしても、ほんとうだと信じて受けることである。われわれは受ける。手をとって駆ける。途半ばでたおれてもよい。果てゆく身には慈しみのまなざしがそそがれる。われわれはそのとき楽園にいる。

註

（1）守中高明が法然、親鸞、一遍の信のうちにみいだした他力は「単一の人格や人称性に還元されるものではない」（守中二〇一九、五六頁）。他力は、「みずからのうちに無限への開かれを作り出しながら……そのつど新たな〈この私〉を誕生させ、再－生させる」（守中二〇一九、五七頁）という内在的な経験にかかわる。「神が神となる」という田中のことばも、そのような意味で解することはできないか。すなわちそれは、神が超越神として顕現することではなく、ひとの隔たりなくして、同じ一つの平面へと内在することなのだ、と。じじつ、イエスやもろもろの神秘主義者たちは、神とひとの合一を証ししていた。この合一をなさしめたのは、かれらのただしさや超越性ではけっしてなく、「われわれが世界に住まうための出発点をなす」、やはり内在的な経験としての「倫理的真理」（不可視委員会二〇一六、四六頁）だったことだろう。

（2）「現代のバベルの塔」の含意については、『福音と世界』二〇一九年八月号を参照。なお、そこに収録されている入江公康の論考では、オリンピックが古代ローマと重ねあわせて論じられている。

（3）この点については、中世の千年王国論者たちの失敗からも学ぶことができるかもしれない。ノーマン・コーン（一九七八）の研究からもわかるように、かれらは霊的な直観をうけて蜂起をおこしたが、しかしその過程では垂直的な組織化や、想像上の他者としてのユダヤ人にたいする敵対性の転移をまねいてしまった。かれらもまた、聖なるものをみうしない、あたらしい統治を呼びこんでしまったのではないか。

（4）このことは信による救済の条件化を意味するのだろうか。しかし、信とは他力によってあたえられるものだったことをおもえば、ここでいう条件とは、自力による救済という従来的な条件を破壊するものとしての非－条件だとはいえないか。みぶりそのものが祈りであるにもかかわらず、そこにむざむざ条件を介入させないこと——みぶりと祈りを分割しないこと——がたいせつなのだ。

（5）ヴェイユが不幸についてかたったように、ジョー・ブスケ（二〇一三）は傷について、シャルル・ペギー（二〇一九）は老いについてかたった。これらはいずれも、統治にたいする永遠の不和としての出来事の謂いである。かのじょ、かれらは、みな出来事に根ざして生き、そして死んだ。

文献

ウェンディ・ブラウン著、向山恭一訳『寛容の帝国——現代リベラリズム批判』法政大学出版局、二〇一〇年。

ジョー・ブスケ著、谷口清彦・右崎有希訳『傷と出来事』河出書房新社、二〇一三年。

ノーマン・コーン著、江河徹訳『千年王国の追求』紀伊國屋書店、一九七八年。

ジル・ドゥルーズ著、宇野邦一・石原陽一郎・江澤健一郎・大原理志・岡村民夫訳『シネマ2＊時間イメージ』法政大学出版局、二〇〇六年。

不可視委員会著、HAPAX訳『われわれの友へ』夜光社、二〇一六年。

五井健太郎著「「暗黒啓蒙」（抄）訳者解題」『現代思想』二〇一九

年六月号、四九－五三頁。

Hamacher, Werner, 1991, "Afformative, Strike," *Cardozo Law Review* vol.13, pp.1133-1157.

入江公康著「「古代の廃墟」としての近代」の廃墟」『福音と世界』二〇一九年八月号、一二－一七頁。

Land, Nick, "Dark Enlightenment,"(http://www.thedarkenlightenment.com/the-dark-enlightenment-by-nick-land/)（最終閲覧日二〇一九年七月一〇日）

マウリツィオ・ラッツァラート著、村澤真保呂・中倉智徳訳『出来事のポリティクス――知―政治と新たな協働』洛北出版、二〇〇八年。

守中高明著『他力の哲学――赦し・ほどこし・往生』河出書房新社、二〇一九年。

小倉拓也著「死の向こう側」『現代思想』二〇一九年六月号、一一〇－一二二頁。

オリゲネス著、小高毅訳『祈りについて・殉教の勧め』創文社、一九八五年。

シャルル・ペギー著、宮林寛訳『クリオ――歴史と異教的魂の対話』河出書房新社、二〇一九年。

田中遵聖著『主は偕にあり』新教出版社、二〇一九年。

シモーヌ・ヴェイユ著、橋本一明ほか訳『シモーヌ・ヴェイユ著作集Ⅰ　戦争と革命への省察』春秋社、一九六八年ａ。

――、『シモーヌ・ヴェイユ著作集Ⅱ　ある文明の苦悶』春秋社、一九六八年ｂ。

シモーヌ・ヴェイユ著、富原眞弓訳『重力と恩寵』岩波書店、二〇一七年。

――、今村純子訳『シモーヌ・ヴェイユ　アンソロジー』河出書房新社、二〇一八年。

マニュエル・ヤン著『黙示のエチュード――歴史的想像力の再生のために』新評論、二〇一九年。

＊本稿における聖書引用は「聖書　新共同訳」（日本聖書協会）による。

The Power of Otherness as Anarchic Principle

Takaaki Morinaka

アナーキー原理としての「他力」

守中 高明

《万(よろず)の衆生を伴なひて／はやく浄土にいたるべし》

——一遍

法然－親鸞－一遍へと展開された日本浄土教の系譜——それは宗教的〈信〉の理念的変革の歴史であるだけではない。そこで起きた思考の出来事は、私たちの常識＝共通感覚［le sens commun］を突き破る力をそなえており、その効果は社会の構成そのものに後退不可能な切断をもたらす実践的なものである。彼らは私たちになにを差し出しているか——それはいまだ来たるべき人民を創り出す原理であり、革命への激しい衝迫以外のものではない。だが、それはどのような意味においてか。

非－論理の生成

「他力」——すべてはこの概念を無媒介的に作動させることにかかっている。法然がその教えの中心に据えたとき、

「他力」とはいったいなにであったか。それがまず、天台宗的な自力による救済の教義体系からの離脱であることは、比較的見やすい。たとえば、つぎの問答――

問ていはく、称名念仏申す人はみな、往生すべしや。

答ていはく、他力の念仏は往生すべし。自力の念仏はまたく往生すべからず。

問ていはく、その他力の様いかむ。

答ていはく、たゞひとすぢにわが身の善悪をかえり見ず、決定往生せんとおもひて申すを、他力の念仏といふ。

（『念仏往生要義抄』）(1)

たしかにここでの「他力」は、自力との二項性において定義されているように見え、法然は他力の相対的優位を語っているかにも映る。事実、これに続くくだりで「自力とはいかん」という問いに対して、自力とは「煩悩具足」の「わろき身」が「さとりをあらはして成仏す」と心に誓って昼夜修行に励むことだが、それは「たとへば須弥〔須弥山〕を針にてくだき、大海を芥子のひさく〔柄杓〕にてくみつくさんがごと」く困難なことであり、それゆえに易行である念仏を選ぶべきなのだと法然は言う。往生のためには厳しい戒を守り激しい行を修さねばならぬと説く先行諸宗派に対して「凡夫往生」を約束する法然のうちには、なるほどこの意味での自力＝難行／他力＝易行という比較がありはする。だがそれは、衆生の機根に合わせた文字どおりの方便にすぎない。法然の思考の革新性は、外形上の難易の外、比較衡量される尺度の外で「他力」を絶対的に肯定する点にこそある。法然の説く往生は、道徳的・精神的態度やその結果生ずる自己意識をいかなる仕方でも条件とせず、むしろそれらを積極的に斥ける。「つみをおそる、は本願をかろしむる」ことなのであり、「身をつゝしみてよからんとする」のが「自力をはげむ」ことなどと考えるのは「ものもおぼへぬ、あさましきひが事〔＝教えを知らぬ、嘆かわしい誤り〕」(2)であると法然は言う。そして――

心の善悪をもかへり見ず、つみの軽重をも沙汰せず、
たゞ口に南無阿弥陀仏と申せば、仏のちかひによりて、
かならず往生するぞと決定の心をおこすべき也。その
決定の心によりて、往生の業はさだまる也。

（「浄土宗略抄」）(3)

ここには、往生から一切の条件を取り除く法然のラディカルな意志が表明されている。「心」が善かろうと悪かろうと、「罪」業が浅かろうと深かろうと、それらの道徳的判断はまったく関与的ではない。〈十方世界の衆生が我が名を称して、もし浄土に生まれることがなかったら、私は仏にはならない〉と誓った法蔵菩薩は、すでに〈十劫の昔〉に〈正覚〉を得て仏となっている。この法蔵菩薩の誓いがすでに実現しているのであってみれば、その名を称する衆生の往生もまた約束されている。念仏行者の救いはつねにすでに「決定」しているのだ——これが「仏のちかひによりて」という言葉の意味するところであり、法然の称名念仏による救済の理路である。この「決定の心」をつねに新たに肯定し、反復せよ、ただそれだけが往生の条件なき条件である——そう法然は告げているのだ。

*

親鸞において事はどうなっているか。「他力」はどのように再‐解釈されているのか。親鸞が法然と同じく、だがいっそう明確に往生を無条件化し、したがって「他力」の概念を先鋭化したことはよく知られている。親鸞もまた天台宗的な行の数々を無用なものとしたばかりでなく、衆生の能動的な意志による自力作善をすべて「自性唯心に沈」む「虚仮邪偽」であるとして斥けた。親鸞は「信心の定まるとき往生また定まるなり」(4)という命題に集約される「信心正因」（「正定の因はただ信心なり」）(5)の立場を取ったが、その一方で、その唯一の条件たる「信心」も、ほかならぬ阿弥陀仏による施し、すなわち阿弥陀仏が「廻施したま」うものであると親鸞は言う——

この心はすなはち如来の大悲心なるがゆゑに、かならず報土の正定の因となる。如来、苦悩の群生海を悲憐して、無礙広大の浄信をもつて諸有海に廻施したまへり。これを利他真実の信心と名づく。(6)

ここをもつて「帰命」は本願招喚の勅命なり。「発願廻向」といふは、如来すでに発願して衆生の行を廻施したまふの心なり。(7)

わが名を呼び、帰依せよと命ずると同時に、その帰依の心と行そのものを与える「如来の大悲心」。ここにあるのは、自力/他力という二項性を完全に滅却する絶対的「他力」の概念形成であり、それを前にしたときのあらゆる自由意志の無効化である。実際、唯一「信心」の獲得だけを要請されつつ、しかし、その「信心」をただ贈与されることしかできない衆生において、およそ自由意志なるものの存立は不可能であり、介在する余地はない。そして、阿弥陀仏の「他力」のはたらきのもとでの衆生におけるこの自由意志の消尽の名こそが、親鸞の言う「自然」にほかならない――

「自然」といふは、「自」はおのづからといふ、行者のはからひにあらず。「然」といふは、しからしむといふことばなり。しからしむといふは、行者のはからひにあらず、如来のちかひにてあるがゆゑに「法爾」といふ。「法爾」といふは、この如来の御ちかひなるがゆゑに、しからしむるを法爾といふなり。法爾は、この御ちかひなりけるゆゑに、およそ行者のはからひのなきをもつて、この法の徳のゆゑにしからしむといふなり。すべて、ひとのはじめてはからはざるなり。このゆゑに義なきを義とすとしるべしとなり。(8)

みずからの「はからひ」を捨てて阿弥陀仏の「他力」のもとへただ自己放擲せよ、という教えは、すでに法然の説くところでもあった――「イマハタヾ弥陀ノ本願ニマカセ、釈尊ノ付嘱ニヨリ、諸仏ノ証誠ニシタガヒテ、オロカナルワタクシノハカラヒヲヤメテ、コレラノユヘ、ツヨキ念仏ノ行ヲツトメテ、往生ヲバイノルベシト申ニテ候也」(9)。だが、そこにはまだ、阿弥陀仏の無限の包摂力を前にすれば凡夫の「はからひ」など「おろか」なものに過ぎない、という最小限度ではあるが強い人間的戒めの響きがあった。ところが、親鸞の場合はどうか。「自然」という阿弥陀仏の「おのづから」「しからしむ」生成ないしプロセスはすでに、いかなる人間的価値判断からも、いかなる擬人化による比較衡量からも逃れ去る強度において断言されている。「法爾」も同様であり、それは「如来の御ちかひ」であるがゆえに「しからしむる」ことを「法爾といふなり」というまったき同語反復において言語化されるだけである。この生成ないしプロセスは「すべて、ひとのはじめてはからはざるなり」＝ことさらに人間が判断・思量することもない生成ないしプロセスなのである。それゆえに、「義なきを義とす」と知らねばならないのだ、と親鸞は告げる。すなわち、阿弥陀仏の「他力」が衆生を迎え入れあるいは投げ込むのは、論理なきことを論理とするというプロセスのただなか、つまりは非‐論理の生成のただなかなのである。如来の誓いの要が念仏者を「無上仏にならしめん」ことにあり、その「無上仏」は「かたちもなく」あるのだと述べたうえで、事実、この断章はつぎのように締め括られている――

> 弥陀仏は自然のやうをしらせん料なり。この道理をこころえつるのちには、この自然のことはつねに沙汰すべきにはあらざるなり。つねに自然を沙汰せば、義なきを義とすといふことは、なほ義のあるになるべし。これは仏智の不思議にてあるなるべし。(10)

阿弥陀仏とは「自然」という様態を知らせる手だてであり、「この道理」を理解したあとでは、「自然」はつねにあれこれ論ずべきことではない。もし「自然」を論ずれば、非‐論理を論理とすることが、なおも論理を有することになってしまうだろう。これこそが如来の智恵が「不‐思議」であること、すなわち、反‐思考であることを示しているのだ……。

*

そして、一遍――この「遊行」の人、移動と踊り念仏、そして無尽蔵に教えを施すことに生涯を賭けた「捨て聖」の場合はどうか。第一に、法然‐親鸞と同じ「他力」概念の絶対化がある。「世の人」は「自力他力を分別し」たうえで、自分を失うことなく、「他力にすがりて」往生しようなどと考えるが、この考えは愚かな誤りである。なぜなら――

自力他力は初門の事なり。自他の位を打捨て、唯一念仏になるを他力といふなり。(11)

ここでも、自力／他力を二項対立において把握し、後者に優越的価値があると信じて自由に選択することが可能と見なすような態度が斥けられている。自力／他力をそのような概念的差異としてしか把握しないのは「初門の事」＝浄土門に疎い初心の者が言うことである。そうではなく、階層秩序化する二項対立を滅して、ただ念仏一つに「なる」ことこそが「他力」の教えであり、その絶対性を生きることが必要なのだ――そう一遍は言っている。したがって、一遍においても法然‐親鸞におけると同様に、しかし、いっそう強く、往生の前提に道徳的判断を持ち込む常識が問い質される。「善悪の二道」を条件として考えるのは衆生の側の習慣にすぎず、それは「顚倒虚仮の法」＝倒錯した偽りの道理である。南無阿弥陀仏という名号は、善悪を区別しない「真実の法」であるのに、そのことを信じられる人のなんと少ないことか――「名号は善悪の二機を摂する真実の法なり。皆人善悪にとゞまりて、真実南無阿弥陀仏を決定往生と信ずる人まれなり」(12)。

だが、第二に、阿弥陀仏の「他力」のはたらきに「義」がないこと、その「自然」を「沙汰」すべきではないことを新たに言うときの一遍――その反復には、ある別種の速度と強度が漲っている。その非‐論理の新たな生成は、まさに非‐人間的なるものの領野を拓いている――

全く往生は義によらず、名号によるなり。たとひ法師が勧むる名号を信じたるは往生せじと心には思ふとも、念仏申さば往生すべし。いかなるえせ義を口にいふとも、心に思ふとも、名号は義によらず、心によらざる法なれば、称すれば決定往生すると信じたるなり。(13)

所詮、罪功徳の沙汰をせずして、なまさがしき智恵を打捨て、身命ををしまず、偏に称名するより外は、余の沙汰あるべからず。身命をすつるといふは、南無阿弥陀仏が自性自然に身命を捨、三界をはなる丶すがたなり。(14)

恐るべき断言だ。人がたとえ「一遍の勧める名号などを信じたら往生できまい」と心に思ったとしても、念仏を称すれば往生する。どんな贋の論理を口にし心に思おうとも、名号は論理に拠らず、心にも拠らない法であるから、称えれば必ず往生する、そう私は信じているのだ、と。ここでは「義」が、すなわち人間の思考の論理そして解釈が、まるごと斥けられている。あたかも、それが人間のものであるかぎり、どんな「義」も根拠たり得ないとでも言うかのように。そして、そのことは続くテーゼにおいて結晶化される——「身命をすつるといふは、南無阿弥陀仏が自性自然に身命を捨、三界をはなる丶すがたなり」。捨てられるべきは、まず「罪功徳の沙汰」という道徳的判断であり「なまさがしき智恵」という相対的な知である。それはまだ人間の能力であり、人間の領界に属してはいる。だが「称名」する以外に「余の沙汰あるべからず」という命法の宛先はいったいどこか。一切の論理を捨て果てよと一遍が言うとき、その捨離する主体として名指されているのは、すでに人間ではなく「南無阿弥陀仏」という名号それ自体であり、すなわち、「自然」である阿弥陀仏への帰依そのものが「自性自然」のうちに自己放擲することがここでは要請され、かつ言表化されているのだ。「自然」の「自然」における反復、「自然」の累乗としての純粋なる力能の意志……。

衆生、不等なるものたちの力

ここ——このまったき非‐論理の生成としての「他力」から発して、私たちは「衆生」の姿を描き直すことができるだろう。「衆生」とは誰か。称名念仏するかぎりにおいて、すなわち無限者たる阿弥陀仏の名を称えそれに帰依するかぎりにおいて、つまりは、ただ「他力」のみをみずからの根拠[fond]ならぬ脱‐根拠[ef-fondrement]とするかぎりにおいて、「衆生」はなによりもまず不等なるものたちである。不等なるものたちとは誰か。それは、みずからの差異を無媒介的に肯定し断言するものたち、「他力」につらぬかれているがゆえに同一性原理に服従せず、共約不可能であり、したがって〈一なるもの〉——超越的な力であれ、世俗的な権力であれ——の組織する有機的表象の世界から積極的に逸脱していく、そんなたがいに非対称的に異なるものたちである。それがもたらす「カタストロフィ」、その「反復」の「不定形な力能」（ジル・ドゥルーズ）——

> 実際、差異が反省的概念であることをやめるのは、そして確かに実在的概念を取り戻すのは、ただそれがさまざまなカタストロフィを指し示すかぎりにおいてのみである——諸類似のセリーにおける連続性の断絶であれ、相似的な諸構造のあいだの越えがたい亀裂であれ。差異が反省的であるのをやめるのは、ただカタストロフィックになるためにのみなのだ。そしておそらく、差異は一方なしに他方であることはできない。しかしまさしく、カタストロフィとしての差異は、有機的表象の見かけの均衡のもとで動き続ける一つの還元不可能な反逆する基底＝根拠[fond]を証し立てているのではなかろうか？(15)

> 反復[répétition]は表象[représentation]と対立する。接頭辞[re-]が意味を変えたのだ。というのも、一方のケースにおいては、差異が同一的なるものとの関係においてのみ告げられるが、他方のケースにおいては、一義的なるものこそが異なるものとの関係において告げら

れるからである。反復、それはあらゆる差異の不定形な存在であり、事物の一つひとつをその表象が解体されてしまうあの極限的「形式」へともたらす、そんな基底＝根拠［fond］の不定形な力能なのである。(16)

衆生、この離隔を惹き起こすものたち……。だが、事を急いではなるまい。衆生はなぜこのような存在であり、なぜこのような力をそなえていると言えるのか。そして、それがなぜ来たるべき人民の名の一つであり得るのか――そのことを十全に知りかつ告げ知らせるために、別の角度から、別の音域で、私たちはふたたび語り始めねばならない。

註

(1) 大橋俊雄『法然全集』第三巻、春秋社、一九八九年、二一二頁。
(2) 同書、一〇八頁。
(3) 同書、八六頁。
(4)『浄土真宗聖典――註釈版 第二版――』本願寺出版、二〇一三年、七三五頁。
(5) 同書、二〇六頁、二二九頁。
(6) 同書、二三五頁。
(7) 同書、一七〇頁。
(8) 同書、七六八頁。
(9)『法然全集』前掲書、六七頁。
(10)『浄土真宗聖典』前掲書、七六九頁。
(11)『一遍上人全集』橘俊道・梅谷繁樹訳、春秋社、二〇一二年、一七四－一七五頁。
(12) 同書、一六九頁。
(13) 同書、一九一頁。
(14) 同書、一七一頁。
(15) Gilles Deleuze, *Différence et Répétition*, PUF, 1968, p.52.（ジル・ドゥルーズ『差異と反復（上）』財津理訳、河出文庫、二〇〇七年、一〇五－一〇六頁、訳文変更）。
(16) Ibid.,p.80.（同書、一六五－一六六頁、同右）。

HAPAX 12
Hong Kong , Fascism

701 701A
796C 796E
KMB
41 44
45 887
41
44

反政治——HAPAX 7

相模原の戦争／HAPAX ＋鼠研究会 >> 人民たちの反政治／HAPAX>> 魂の表式／入江公康 >> ウンコがしたい／栗原 康 >> エイリアンと怪物——『ダーク・ドゥルーズ』における革命／アンドリュー・カルプ >> 残酷の政治について・残酷の政治についての五つのテーゼ／Hostis>> 最小の三角回路について——哲学あるいは革命——／江川隆男 >> 火墜論／混世博戯党 >>Raw power is laughin' at you and me.／World's Forgotten Boy>> 武器を取れ——大道寺将司の俳句／友常勉

ISBN978-4-906944-12-5　本体 1200 円　2017 年 4 月刊

コミュニズム——HAPAX 8

コミュニストの絶対的孤独——不可視委員会の新著によせて／ＨＡＰＡＸ >> 黙示録的共産主義者（アポカリプティック・コミュニスト）／高祖岩三郎 >> 自由人の共同体と奴隷の共同体／李珍景 >> 文明破壊獣ヒビモス、あるいは蜂起派のためのシュミット偽史／混世博戯党 >> 非統治のための用語集／ＮＰＰＶ（マジで知覚するためのニュアンス）>> 壁のしみ／ヴァージニア·ウルフ >> かたつむりの内戦､小説の倫理——「壁のしみ」訳者解題／五井健太郎 >>「復興」共同体と同じ場所に暮れをつくりだす　廉想渉「宿泊記」（一九二八）論／影本剛 >>「別の長い物語り」について／食卓末席組 >> 巨椋沼における３つの議論／Great Caldrons>> 分裂的コミュニズム／ＨＡＰＡＸ＋鼠研究会

ISBN978-4-906944-13-2　本体 1200 円　2017 年 11 月刊

自然——HAPAX 9

自然という戦場／高祖岩三郎 >> 自然はピクチャーである／白石嘉治＋ウルトラ＝プルーストアナキズムの自然と自由——ブクチンとホワイトヘッド／森元斎 >> 装置、あるいは文明と訣別するために——「直耕」の思想家・安藤昌益／無回転Ｒ求道者 >> 統治なき自然、蜂起するデモクラシー ——ミゲル・アバンスールのサン＝ジュスト論から出発して——／山下雄大 >> 外の力能／ダニエル·コルソン／五井健太郎 訳 >> ライナー·シュールマンの断層線トポロジーと人新世／ステファニー・ウェイクフィールド／五井健太郎 訳 >> 前世紀／鈴木一平 >> 二月某日の疲れをもよおさせる議論／HAPAX bis>>「世界政治」としてのペスト／鼠研究会

ISBN978-4-906944-14-9　本体 1100 円　2018 年 6 月刊

HAPAX 10　ニーチェ

ギリシャのアナキズム２０１８／二人のギリシャのアナキスト＋高祖岩三郎 >> 自律か、無か。／革命的官能委員会／world's forgotten boy 訳 >> ニーチェを讃える／鈴木創士 >> 耳障りな声で——ある快楽懐疑者からの挨拶／インタビュー榎並重行 >> 論理学を消尽すること——ニーチェにおける〈矛盾—命令〉の彼岸／江川隆男 >> 馬のニーチェ／馬研究会 >> いかにして孤独へと到達するか／無回転Ｒ求道者達 >> 道徳の系譜／混世博戯党 >> 地獄あるいはブランキの宇宙へと向かう断章／world's forgotten boy>> ニーチェと絶対自由主義的労働者運動／ダニエル・コルソン／五井健太郎＋ＨＡＰＡＸ訳 >> 食人としての「ひかりごけ」／山本さつき >> ニーチェの喃語を聴きとる——『菊とギロチン』によせて／白石嘉治

ISBN978-4-906944-16-3　本体 1500 円　2018 年 11 月刊

HAPAX 11　闘争の言説

釜ヶ崎の外の友人たちへ——新たな無産者たちの共生の試みのために／釜ヶ崎コミューン >> 釜ヶ崎センター占拠の二四日間とその後／釜ヶ崎コミューン >> 共に居ることの曖昧な厚み——京都大学当局による吉田寮退去通告に抗して／笠木丈 >> 砕かれた「きずな」のために／霊長類同盟 >> イエローベスト・ダイアリー／ロナ・ロリマー >> ジレ・ジョーヌについての覚え書き／白石嘉治 >> リスト／ベラ・ブラヴォ >>『ギリシャ刑務所からの手記』のために／二人のギリシャのアナキスト >> 傷だらけのアナキズム／アリエル・イスラ＋高祖岩三郎 >> コミューンは外部である——存在の闇と離脱の政治学／李珍景インタビュー >> 都市のエレメントを破壊する——アナロギアと自然のアナキズム／村澤真保呂インタビュー >> 日本イデオローグ批判／小泉義之 >> すべてを肯定に変える／彫真悟 >> 日常と革命を短絡させるためのノート、あるいはわれわれは何と闘うのか、何を闘うのか／気象観測協会

ISBN978-4-906944-18-7　本体 1500 円　2019 年 7 月刊